BOBAS
instrukcja obsługi

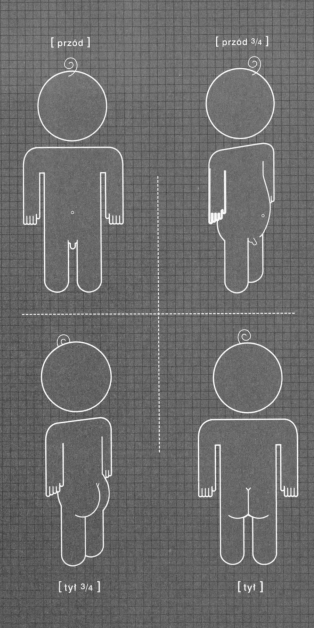

[przód]

[przód 3/4]

[tył 3/4]

[tył]

BOBAS
instrukcja obsługi

Wskazówki użytkowe, wykrywanie i usuwanie usterek
oraz porady serwisowe w pierwszym roku obsługi

Louis Borgenicht, Joe Borgenicht

Ilustracje: Paul Kepple, Jude Buffum
Przekład: Ewa Helińska

Tytuł oryginału: The Baby. Owner's manual. Operating Instructions, trouble-shooting tips,
and advice on first-year maintenance
Copyright © 2003 by Quirk Productions, Inc.
Copyright for this edition © 2008 by Vesper
Ilustracje: copyright © 2003 by Headcase Design
Projekt: Paul Kepple i Jude Buffum © Headcase Design

Przekład: Ewa Helińska
Redakcja: Magdalena Wójcik

Dystrybucja:
In Rock
ul. Wieruszowska 16
60-166 Poznań
tel./fax (061) 8686795, 8686506
milosnik@inrock.pl
tomek@inrock.pl
www.inrock.pl

Vesper
www.vesper.pl

Wydanie I
Poznań, wrzesień 2008

ISBN 978-83-60159-86-6
Druk i oprawa: Drukarnia GS, Kraków

Spis treści

Witamy

posiadacza
nowego dziecka!

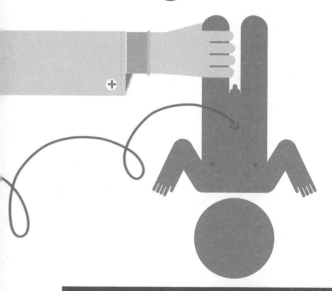

Gratulujemy odbioru noworodka

Okazuje się, że bobas jest zdumiewająco podobny do innych urządzeń, znajdujących się w twoim posiadaniu. Przykładowo, tak jak komputer, dziecko będzie potrzebować źródła energii przed wykonaniem skomplikowanych zadań i funkcji. Jak w przypadku głowicy odtwarzacza wideo, głowę dziecka trzeba będzie często czyścić w celu zapewnienia jej optymalnego działania I tak jak pojazdy samochodowe, bobas będzie zanieczyszczać atmosferę nieprzyjemnymi zapachami.

Jednakże dziecko różni się zasadniczo od przedmiotów. Otóż komputery, odtwarzacze wideo i pojazdy samochodowe posiadają dołączone instrukcje obsługi, natomiast noworodki nie – dlatego też w twoich rękach znalazła się niniejsza książka. *Bobas – Instrukcja obsługi* to przekrojowy podręcznik posiadacza, dzięki któremu można sprawić, że bobas będzie maksymalnie wydajny, a jego działanie osiągnie optymalny poziom.

Nie trzeba czytać niniejszego podręcznika od deski do deski. Aby ułatwić korzystanie, został on podzielony na siedem rozdziałów. Jeśli będziesz mieć pytanie lub natkniesz się na problem, zajrzyj do odpowiedniego rozdziału:

Przygotowanie i instalacja (strony 20-37) opisuje najlepsze sposoby przygotowania się do pojawienia noworodka. Rozdział ten zawiera wiele użytecznych rad na temat konfiguracji pokoju dziecka i doboru akcesoriów transportowych (włącznie z popularnymi urządzeniami zwanymi „wózkami" i „nosidełkami").

Ogólne zasady opieki (strony 38-65) podają techniki efektywnego radzenia sobie z dzieckiem, trzymania go i pocieszania. Znajdziemy tu kompleksowe procedury, takie jak „przewijanie" czy „masowanie niemowlęcia" oraz poznamy akcesoria zabawowe, które mogą wspomóc rozwój inteligencji bobasa.

Rozdział o karmieniu (strony 65-105) dostarcza dogłębnej wiedzy na temat zasilania dziecka. Tu znajdziesz szczegółowe instrukcje karmienia piersią, odbijania i wprowadzania pożywienia stałego do diety bobasa.

Programowanie trybu snu (strony 106-125) to zbiór sprawdzonych technik uczących, jak sprawić, by dziecko przespało całą noc. Zawiera też instrukcje na wypadek usterek trybu snu, wskazówki, jak radzić sobie z prze-stymulowaniem oraz w jaki sposób skonfigurować pole snu bobasa.

Ogólne wskazówki użytkowe (strony 126-155) zawierają ważne informacje na temat bezpieczeństwa, warunków sanitarnych i prawidłowego funkcjonowania wszystkich modeli noworodków. Niniejszy rozdział podaje szczegółowe instrukcje reinstalacji pieluszek, czyszczenia bobasa i skracania mu włosów.

Wzrost i rozwój (strony 156-179) to zbiór wiadomości na temat odruchów dziecka i identyfikacja kamieni milowych w rozwoju niemowlęcia. Ten rozdział objaśnia też zaawansowane aplikacje motoryczne i sensoryczne, takie jak „raczkowanie", „wstawanie" i „gaworzenie".

Bezpieczeństwo i postępowanie w nagłych wypadkach (strony 180--217) podaje najlepsze sposoby zabezpieczenia środowiska bobasa. Tutaj odnajdziesz też niezwykle ważne informacje na temat manewru Heimlicha, sztucznego oddychania i masażu serca, a także na temat monitorowania stanu zdrowia boba-sa. Posiadacz może też zajrzeć do alfabetycznego przewodnika po dziecięcych dolegliwościach, takich jak „ciemieniucha" czy „zapalenie spojówek".

Właściwe postępowanie posiadacza sprawi, że jego dziecko przez długie lata będzie źródłem miłości, oddania i radości. Jednakże nauka obsługi dziecka wymaga praktyki, stąd też konieczność zachowania cierpliwości. W ciągu nadchodzących miesięcy możesz doświadczyć uczucia frustracji, nabrać przeświadczenia o braku kompetencji, poznać smak zwątpienia i rozpaczy. Wszystkie te emocje są normalne i z czasem miną. Pewnego dnia, który nastanie szybciej, niż się spodziewasz, zmiana pieluszki czy podgrzanie mleka wyda ci się równie łatwe, co zrestartowanie komputera lub nastawienie alarmu w budziku. Wówczas przekonasz się, że po mistrzowsku opanowałeś umiejętność obsługi dziecka.

Powodzenia – i radości z obsługi bobasa!

POZOSTAŁE AKCESORIA (nie włączone do zestawu)

Podczas instalacji, przygotowania i obsługi noworodka należy mieć pod ręką wymienione poniżej akcesoria

Butelki

Mleko modyfikowane

Kaszka

Kubki z ustnikiem

Smoczki

Gąbki

Mydło

Ręczniki i kocyki

Szampon

Maści

Wazelina

Balsamy

Chusteczki nawilżające

Pieluszki

Ubranka

Nakrycia głowy

Zabawki

Bobas:
schemat i lista elementów

Prawie wszystkie modele pojawiają się wstępnie skonfigurowane oraz wyposażone w pewne cechy i umiejętności. Jeśli dziecko nie posiada jednej lub wielu opisanych tu funkcji, należy natychmiast skontaktować się z personelem serwisowym bobasa.

Głowa

Głowa: Początkowo może sprawiać wrażenie za dużej lub mieć kształt stożka, zależnie od modelu i metody dostawy. Stożkowata głowa zaokrągli się po upływie czterech do ośmiu tygodni.

Obwód: Średni obwód głowy wszystkich modeli wynosi około 35 cm. Rozmiar pomiędzy 32 a 37 cm jest uważany za normę.

Włosy: Nie wszystkie modele są w nie wyposażone. Występują w różnorodnych odcieniach.

Ciemiączka (przednie i tylne): Ciemiączka są to przestrzenie między kośćmi czaszki, które się nie zrosły. Nigdy nie naciskaj ciemiączek. Zarosną kompletnie przed końcem pierwszego roku życia (lub wkrótce po ukończeniu roczku).

Oczy: Większość modeli kaukaskich dostarczana jest z niebieskimi lub szarymi oczami, podczas gdy modele afrykańskie i azjatyckie pojawiają się z brązowymi oczami. Należy pamiętać, iż pigmentacja tęczówki może ulec zmianom kilkakrotnie w ciągu pierwszych miesięcy życia. Niemowlę automatycznie ustali kolor oczu, gdy osiągnie wiek od dziewięciu do dwunastu miesięcy.

Szyja: Podczas dostawy i krótko po niej może sprawiać wrażenie, że nie działa prawidłowo. Nie jest to wada. Szyja stanie się w pełni funkcjonalna w wieku od dwóch do czterech miesięcy.

Ciało

Skóra: Skóra niemowlęcia może okazać się nadzwyczaj wrażliwa na chemikalia znajdujące się w nowej (niepranej) odzieży. Może też reagować na detergenty zawarte w zwykłych środkach piorących. Należy rozważyć zmianę proszku na bezzapachowy i pozbawiony chemikaliów środek, który powinno stosować się do prania wszystkich rzeczy w domu.

Kikut pępowiny: Ta pozostałość będzie wysuszać się i ciemnieć, by odpaść po kilku tygodniach. Aby uniknąć infekcji i uformować zdrowy pępek, należy utrzymywać go w czystości i unikać jego zamoczenia (patrz s. 212).

Odbyt: Jest to miejsce, przez które dziecko odprowadza zanieczyszczenia. Umieszczenie w tym porcie termometru pozwoli zmierzyć temperaturę rdzenia, która powinna wynosić około 37°C (patrz s. 194).

Genitalia: Nieznaczne powiększenie genitaliów niemowlęcia jest normalne. Nie będzie to miało wpływu na przyszłe rozmiary lub kształt genitaliów dziecka.

Meszek płodowy: Wiele modeli posiada na ramionach lub plecach lanugo, czyli meszek płodowy. Włoski znikną w ciągu kilku tygodni.

Waga: Statystyczny model w chwili dostawy waży 3,4 kg. Większość waży między 2,5 a 4,5 kg.

Długość: Statystyczny model w chwili dostawy mierzy 51 cm. Większość mieści się w granicach między 45 a 56 cm.

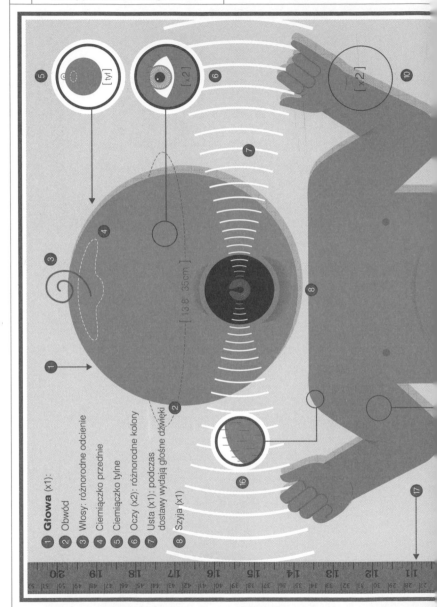

Głowa (x1):

1. Obwód
2. Włosy: różnorodne odcienie
3. Ciemiączko przednie
4. Ciemiączko tylne
5. Oczy (x2): różnorodne kolory
6. Usta (x1): podczas dostawy wydają głośne dźwięki
7. Szyja (x1)

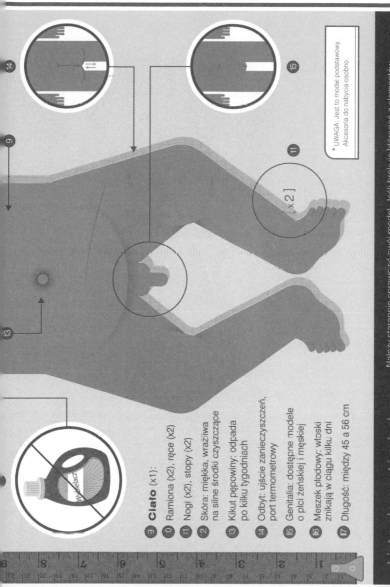

14

9

13

15

11

[x2]

* UWAGA. Jest to model podstawowy. Jeśli brakuje któregoś z elementów.
Akcesoria do nabycia osobno.

Ciato (x1):

⓪ Ramiona (x2), ręce (x2)

⑪ Nogi (x2), stopy (x2)

⑫ Skóra: miękka, wrażliwa
na silne środki czyszczące

⑬ Kikut pępowiny: odpada
po kilku tygodniach

⑭ Odbyt: ujście zanieczyszczeń,
port termometrowy

⑮ Genitalia: dostępne modele
o płci żeńskiej i męskiej

⑯ Meszek płodowy: włoski
znikają w ciągu kilku dni

⑰ Długość: między 45 a 56 cm

Lista elementów bobasa:
Należy starannie sprawdzić swój model. Jeśli brakuje któregoś z elementów.
niezwłocznie powiadom o tym personel serwisowy.

Rozdział 1

Przygotowanie i instalacja

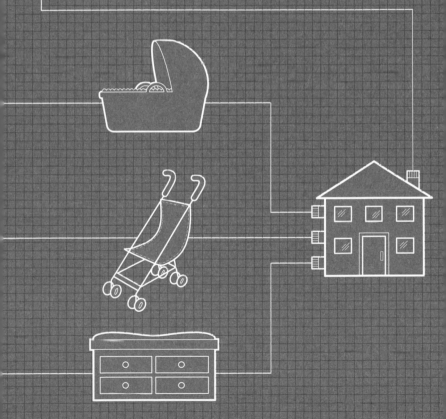

Przygotowanie domu

Noworodek ma ograniczoną mobilność, zatem nie występuje natychmiastowa konieczność antybobasowego zabezpieczania otoczenia (patrz s. 182). Jednakże jeszcze przed dostawą dziecka zaleca się poczynienie następujących przygotowań:

[1] Przed dostawą należy ze znacznym wyprzedzeniem czasowym zakończyć projekty remontowe domu. Wymagania dotyczące noworodka mogą opóźnić dokończenie projektów o kilka lat lub nawet dekad.

[2] Wyreguluj i monitoruj temperaturę powietrza w domu. W ciągu pierwszych kilku miesięcy życia dziecko będzie potrzebowało pomocy w regulacji swojej temperatury wewnętrznej. Optymalna temperatura w domu wynosi 20-22°C..

[3] Starannie sprzątnij dom. Po skończeniu czynności odstawiaj przedmioty na miejsce. Dostawa dziecka może nadejść znienacka. Należy się na to wcześniej przygotować.

[4] Uzupełnij zapasy żywności. Zapełnij spiżarkę suchymi produktami. Zgromadź mrożone dania, które zjesz w trakcie nocnych posiłków. Kiedy już staniesz się posiadaczem bobasa, nawigowanie wśród sklepowych regałów będzie znacznie bardziej skomplikowane niż dotychczas.

[5] Przygotowuj posiłki na kilka dni. Dzięki gotowaniu na zapas i mrożeniu gotowych dań będziesz mieć obfity zapas jedzenia, który wystarczy na kilka tygodni po dostawie dziecka.

⚙ *RADA EKSPERTA: W ciągu czterech tygodni przed dostawą dziecka pilnuj, by bak z paliwem w aucie był przynajmniej w połowie pełny.*

Konfiguracja pokoju dziecinnego

Większość posiadaczy decyduje się na umieszczenie bobasa w specjalnie przeznaczonym dla niego pomieszczeniu, zwanym też pokojem dziecięcym. Zaleca się skonfigurowanie tego pokoju przed dostawą modelu. Priorytetem jest tu właściwa organizacja, gdyż możesz znaleźć się w sytuacji, gdy w jednej chwili trzeba będzie znaleźć wszystkie potrzebne przedmioty i narzędzia.

Łóżeczko

Łóżeczko jest najważniejszym obiektem w pokoju. Powinno znaleźć się w bezpiecznym, wygodnym i łatwo dostępnym miejscu. Kolejność tych cech ma znaczenie.

Miejsce bezpieczne: Łóżeczko powinno znajdować się z dala od okien, urządzeń grzewczych i klimatyzacji, luźno wiszących przedmiotów, takich jak sznury do zasłon, i ciężkich rzeczy, na przykład obrazów w ramach lub lamp. Łóżeczko powinno stać na miękkim dywanie lub chodniku.

Miejsce wygodne: Bobas może czuć się bezpieczniej, jeśli łóżeczko będzie stało w rogu pomieszczenia. Światło słoneczne nie powinno padać bezpośrednio na łóżeczko.

Miejsce łatwo dostępne: Idealnie ustawione łóżeczko znajduje się w zasięgu wzroku osoby stojącej w drzwiach, tak by posiadacz mógł jednym spojrzeniem zmonitorować status noworodka.

W celu zasięgnięcia dalszych informacji na temat idealnego łóżeczka patrz strona 108.

Przewijak / Komoda

Przewijak – który może wystąpić też w postaci komody – zazwyczaj ma formę płaskiej powierzchni na wysokości pasa posiadacza, służącej do przeprowadzenia operacji usunięcia i reinstalacji pieluszki. Podobnie jak łóżeczko, przewijak powinien być bezpieczny, wygodny i łatwo dostępny. Należy tak przeprowadzić jego instalację, by wszystkie potrzebne podczas przewijania przedmioty znajdowały się w zasięgu ręki.

⚠ *UWAGA: Nigdy nie pozostawiaj dziecka bez nadzoru na przewijaku. Może to prowadzić do poważnego uszkodzenia lub nieprawidłowego funkcjonowania bobasa.*

Bezpieczny przewijak: Istnieje zagrożenie, że raczkujące dziecko może chwycić krawędź przewijaka podczas prób wstawania. Przytwierdzając przewijak do ściany za pomocą klamer, zapewnisz mu stabilność. Przewijak nie powinien stać w pobliżu grzejników, sznurów do zasłon lub innych niebezpiecznych przedmiotów.

Wygodny: Wielu posiadaczy układa na przewijaku piankę w celu uzyskania miękkiego podłoża i zwiększenia poziomu komfortu bobasa. Na piankę stosuje się zwykle ceratki z nakładkami, które można przykrywać bawełnianym prześcieradłem.

Dostępny: Idealny przewijak znajduje się w pobliżu zapasu środków kosmetycznych, ubrań, śmietnika i kosza na bieliznę.

Pozostałe elementy pokoju dziecięcego

Fotel bujany lub krzesło: Ustaw te obiekty w kącie pokoju, by nie marnować cennej przestrzeni przeznaczonej na zabawę. Na stoliku obok fotela umieść miękką ściereczkę przydatną podczas karmienia, lampę ze ściemniaczem, książkę, radio z zegarem do odmierzania czasu karmienia i ciepły koc.

Komoda na zabawki: Jeśli przestrzeń nie jest zbyt wielka, rozważ ustawienie niskiej komody, którą można wsunąć pod łóżeczko.

Nawilżacz powietrza: Jeśli w pokoju dziecka znajduje się nawilżacz, umieść go ponad metr od łóżeczka. Mgiełka na pościeli może sprzyjać mnożeniu się bakterii.

Termostat: Posiadaczom bobasów zaleca się zainstalowanie w pokoju dziecięcym termostatu, ponieważ pomieszczenia w domu różnią się temperaturą. Idealna temperatura dla pokoju dziecięcego to 20°C.

Przenośny grzejnik: Jeśli w pokoju dziecięcym znalazł się przenośny grzejnik, należy umieścić go z dala od łóżeczka i łatwopalnych materiałów. Nie pozostawiaj grzejnika bez nadzoru.

Elektroniczna niania: Urządzenie to służy do monitorowania funkcji audio bobasa z dowolnego miejsca w domu. Nadajnik przez większość czasu jest włączony i powinien znajdować się w pobliżu gniazdka elektrycznego. Jeśli to możliwe, unikaj stosowania przedłużaczy.

Lampka nocna: Umieść małą lampkę w pobliżu lub pod łóżeczkiem, poza zasięgiem wzroku dziecka.

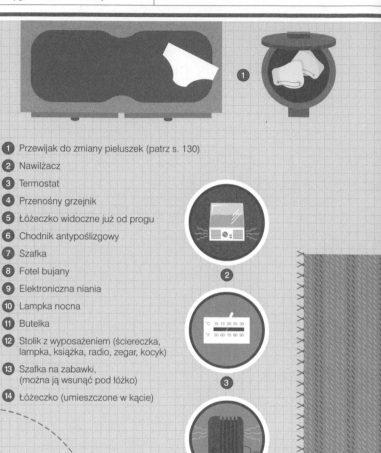

1 Przewijak do zmiany pieluszek (patrz s. 130)
2 Nawilżacz
3 Termostat
4 Przenośny grzejnik
5 Łóżeczko widoczne już od progu
6 Chodnik antypoślizgowy
7 Szafka
8 Fotel bujany
9 Elektroniczna niania
10 Lampka nocna
11 Butelka
12 Stolik z wyposażeniem (ściereczka, lampka, książka, radio, zegar, kocyk)
13 Szafka na zabawki, (można ją wsunąć pod łóżko)
14 Łóżeczko (umieszczone w kącie)

Konfiguracja pokoju dziecięcego: Przed dostawą należy skonfigurować

i zorganizować przestrzeń w pokoju w celu uniknięcia późniejszego zamieszania i frustracji.

Niezbędne akcesoria dziecięce

Wszystkie modele wymagają szerokiej gamy akcesoriów, począwszy od pościeli, na środkach pielęgnacyjnych kończąc. Poniżej znajduje się lista najpotrzebniejszych akcesoriów podczas pierwszego miesiąca działania dziecka. Zaleca się nabycie ich przed dostawą bobasa.

POŚCIEL

- 2 zmiany prześcieradeł, dopasowanych do łóżeczka lub kołyski
- 4-6 kocyków do owijania po kąpieli
- ochraniacz na szczebelki łóżka

AKCESORIA DO PRZEWIJANIA

- chusteczki
- wazelina
- maść
- balsam
- bawełniane waciki
- 36-60 pieluszek z materiału z sześcioma agrafkami i sześć par majtek ceratowych

lub

- 1-2 paczki jednorazowych pieluch dla noworodków

AKCESORIA DO KARMIENIA

- 6-12 ściereczek przydatnych przy karmieniu
- 2 pary staników dla matek karmiących
- 4 poduszki do karmienia
- maść lanolinowa
- laktator z pojemnikami i torebkami

lub

- tygodniowy zapas mleka modyfikowanego dla noworodków
- 4-6 butelek (po 118 ml) ze smoczkami dla noworodków

UBRANIA

- 5-7 śpioszków bawełnianych
- 3-5 śpioszków wierzchnich
- 3-5 jednoczęściowych niepalnych piżamek
- 3 5 niepalnych koszulek nocnych
- 3-5 par skarpetek
- miękkie rękawiczki
- 2-3 czapeczki
- polarowy kombinezon, sweter i płaszczyk (w zależności od klimatu)

AKCESORIA KĄPIELOWE I PIELĘGNACYJNE

- mała plastikowa wanienka
- 2-3 ręczniki z kapturem
- 2-3 myjki
- mydło dla dzieci
- szampon dla dzieci
- zestaw do pielęgnacji z nożyczkami dla dzieci
- gruszka do nosa

Niezbędne akcesoria transportowe

Aby przetransportować dziecko, potrzebne są specjalne akcesoria. W celu wybrania ekwipunku, który odpowiada twojemu obecnemu trybowi życia, skorzystaj z poniższych wskazówek.

Nosidełka

Nosidełko pozwala posiadaczowi bez zbędnego wysiłku nosić na sobie dziecko. Zwróć uwagę na swoją wygodę tak samo jak na wygodę bobasa. Jeśli nosidełko nie sprawi tobie radości, nie będziesz go używać.

Nosidełko przednie (Rys. A): W tym nosidełku, wyposażonym w pasy na ramiona użytkownika i uprząż dla dziecka, bobas opiera się o pierś użytkownika. Dziecko powinno być noszone twarzą w twarz, dopóki nie wykształci umiejętności trzymania głowy. Nosidełka przednie mogą służyć do przenoszenia bobasów do około 6 miesiąca życia.

Chusta (Rys. B): To nosidełko, wykonane zwykle z miękkiej bawełny, nylonu lub lycry, przewieszane jest przez ramię. Może być używane w przypadku niemowląt, jak i starszych dzieci. Chusty pomieszczą bobasy w wieku około 9-12 miesięcy.

Plecak (Rys. C): To nosidełko ma zwykle formę metalowego lub plastikowego stelaża z miękkim bawełnianym lub nylonowym wypełnieniem. Bobas jest w tym przypadku noszony na plecach. Dziecko musi wykazać się znaczną siłą szyi i pleców, by móc podróżować w plecaku, stąd nie poleca się tych nosidełek dla modeli młodszych niż 6-9 miesięcy. Powinno się wybrać nosidełko z regulacją, wyposażone w daszek przeciwsłoneczny i kieszenie.

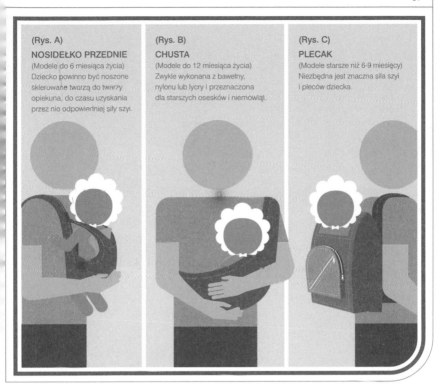

(Rys. A)

NOSIDEŁKO PRZEDNIE

(Modele do 6 miesiąca życia)
Dziecko powinno być noszone
skierowane twarzą do twarzy
opiekuna, do czasu uzyskania
przez nie odpowiedniej siły szyi.

(Rys. B)

CHUSTA

(Modele do 12 miesiąca życia)
Zwykle wykonana z bawełny,
nylonu lub lycry i przeznaczona
dla starszych osesków i niemowląt.

(Rys. C)

PLECAK

(Modele starsze niż 6-9 miesięcy)
Niezbędna jest znaczna siła szyi
i pleców dziecka.

Wózki

Dostępnych jest wiele typów wózków. Przed wyborem należy rozważyć wytrzymałość, różnorodność zastosowań, wielkość, wagę i koszt pojazdu. Początkujący użytkownicy powinni przeprowadzić przed zakupem „jazdę próbną".

Podczas wyboru wózka powinno się zwrócić uwagę na następujące cechy: pięciopunktowe szelki bezpieczeństwa, kieszonki, uchwyt na kubek, osłona przeciwsłoneczna, wyściełane oparcie, osłona przeciwdeszczowa, skrętne przednie kółka, wielopozycyjne oparcie, amortyzatory i grube plastikowe (lub wytrzymałe gumowe) koła.

Model:

WÓZEK STANDARDOWY

Kół: 4 lub 8

Zastosowanie: Do chwili osiągnięcia przez dziecko wagi 18-20 kg

Waga wózka:
Średnia do ciężkiej

Składany: Tak

Przystosowanie: Większość pasuje do samochodowych fotelików dla dzieci

Różnorodność pozycji:
2-4 poziomy oparcia

Teren: Chodniki, gładkie nawierzchnie, większość podłóg

Model:

WÓZEK TRÓJKOŁOWY

Kół: 3

Zastosowanie: Do chwili osiągnięcia przez dziecko wagi 16-20 kg

Waga wózka:
Średnia do ciężkiej

Składany: Tak

Przystosowanie: Niektóre pasują do samochodowych fotelików dla dzieci

Różnorodność pozycji: 1-2 poziomy oparcia

Teren: Chodniki, drogi, podłogi, trawiaste ścieżki

WÓZKI: Użytkownicy powinni przeprowadzić „jazdę próbną" przed zakupem.

Model:
SPACERÓWKA

Kół: 4 lub 8

Zastosowanie: Do chwili osiągnięcia przez dziecko wagi 13-20 kg

Waga wózka: Lekka

Składany: Tak

Przystosowanie: Żadne

Różnorodność pozycji: 1-3 poziomy oparcia

Teren: Gładkie chodniki, podłogi

Model:
STELAŻ

Kół: 4

Zastosowanie: Do chwili osiągnięcia przez dziecko wagi 9-11 kg

Waga wózka: Lekka

Składany: Tak

Przystosowanie: Pasują do samochodowych fotelików dla dzieci

Różnorodność pozycji: Nie ma

Teren: Gładkie chodniki i podłogi

Pytaj o dodatkowe funkcje (uchwyt na kubek, osłona przeciwsłoneczna, kieszenie, itd.).

Foteliki samochodowe

Do przewozu bobasa w samochodzie będziesz potrzebować fotelika przystosowanego do wielkości dziecka. Większość noworodków jest kompatybilna z dwoma rodzajami fotelików: dla niemowląt oraz dla niemowląt i dzieci. Każdy z typów ma swoje plusy. Bez względu na wybór, uważnie przeczytaj instrukcję fotelika i upewnij się, że został on prawidłowo zamontowany (patrz s. 35).

Szukaj następujących cech fotelików: pięciopunktowe szelki, zagłówek dla niemowlaka, regulowany pas bezpieczeństwa, odsuwany daszek przeciwsłoneczny, wygodna tapicerka i (w przypadku wymiennych siedzisk) adapter do montażu w samochodzie. Jeśli masz wątpliwości, zadzwoń do producenta.

Fotelik dla niemowlęcia (Rys. A): Najważniejszą korzyścią fotelika dla niemowlęcia jest to, że można go wyjąć z samochodu wraz z dzieckiem. Fotelik pasuje do większości standardowych wózków i stelaży (patrz s. 31). Został zaprojektowany w taki sposób, by w przypadku kolizji zamknąć się wokół dziecka jak muszla. Niestety, obciążony fotelik waży prawie 13 kg i należy go mocować pasami za każdym razem, gdy umieścisz go w samochodzie. Fotelik powinno się wymienić, gdy dziecko przekroczy wagę 9-11 kg lub gdy urośnie ponad 66 cm.

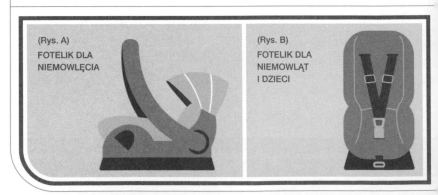

(Rys. A)
FOTELIK DLA
NIEMOWLĘCIA

(Rys. B)
FOTELIK DLA
NIEMOWLĄT
I DZIECI

Fotelik dla niemowląt i dzieci (Rys. B): Jest większy niż fotelik dla niemowląt i może służyć mniej więcej do 4-5 roku życia. Ponieważ tego fotelika nie można wyciągać z pojazdu, po osiągnięciu miejsca przeznaczenia będziesz potrzebować dodatkowych środków transportu.

RADA EKSPERTA: Kupno używanego fotelika jest z zasady niebezpieczne. Przepisy bezpieczeństwa ulegają częstym zmianom i starsze foteliki mogą nie spełniać norm. Jeśli używany fotelik pochodzi z samochodu, który uległ wypadkowi, może nie spełniać należycie swojej funkcji ochronnej.

Montaż fotelika samochodowego

Zgodnie z kodeksem drogowym, podczas jazdy samochodem wszystkie bobasy muszą znajdować się w zabezpieczonym foteliku. W Polsce dziecko do 12 miesiąca życia, ważące do 13 kg musi siedzieć tyłem do kierunku jazdy. Jeśli to możliwe, umieszczaj fotelik dziecka pośrodku tylnej kanapy.

[1] Zawsze postępuj zgodnie z instrukcjami producenta fotelika. Jeśli będziesz mieć problemy z montażem, w instrukcji znajdziesz informacje kontaktowe.

[2] Przestrzegaj przepisów bezpieczeństwa. Fotelik nie może znaleźć się w zasięgu działania poduszki powietrznej lub być zwrócony do złożonego podłokietnika tylnej kanapy. Przednie fotele nie mogą opierać się o fotelik, bowiem w razie wypadku uniemożliwią fotelikowi zamknięcie się wokół dziecka.

[3] Podczas montażu fotelika dwie osoby powinny sprawdzić siłę zabezpieczeń. Pierwsza dociska kolanem fotelik, podczas gdy druga zaciąga pasy.

[**4**] Przeprowadź test zabezpieczeń. Fotelik nie powinien przesunąć się więcej niż dwa centymetry w przód, w tył i na boki. Pasy powinny zaskoczyć w odpowiednie miejsca. W razie konieczności zastosuj ściągacz. Fotelik powinien być odchylony pod prawidłowym kątem (ok. 45 stopni).

[**5**] Sprawdź paski szelek. Powinny być proste (nieposkręcane), komfortowo zaciśnięte i wpięte we właściwe klamry.

[**6**] Podeprzyj głowę dziecka. Użyj w tym celu zagłówka lub podłóż ręcznik pod główkę. Upewnij się, że materiał nie zawadza szelkom fotelika.

[**7**] Regularnie sprawdzaj stabilność i bezpieczeństwo fotelika.

RADA EKSPERTA: Szpitale, straż pożarna lub sklepy z artykułami dziecięcymi czasem sprawdzają na indywidualną prośbę prawidłowy montaż fotelika samochodowego.

Jak znaleźć
stację obsługi bobasa

Wszystkie modele będą wymagać pomocy personelu serwisowego, zwanego też pediatrą. Umów się na wizytę z serwisem. Podpowiadamy następujące pytania:

■ *Jaką mają Państwo koncepcję wychowania dziecka?* Niektórzy serwisanci mają specyficzne metody, natomiast inni są otwarci na różne poglądy. Dowiedz się, którą koncepcję popiera twój personel serwisowy i jak bardzo różni się lub przypomina twoją ideę.

■ **Czy będą Państwo za każdym razem nas przyjmować, gdy jesteśmy umówieni na wizytę?** Niektóre szpitale lub kliniki mają wśród personelu wielu serwisantów. Idealnie, jeśli za każdym razem będziecie odwiedzać ten sam personel.

■ **Kto zajmie się dzieckiem, jeśli będą Państwo nieosiągalni?** Personel serwisowy zwykle dysponuje zastępstwem. To ty powinieneś zapytać o ich kwalifikacje.

■ **Czy ustalają Państwo osobno wizyty dla dzieci chorych i zdrowych? Czy mają Państwo osobne poczekalnie dla dzieci chorych i zdrowych?** Dzięki temu unikniesz przebywania wśród chorych dzieci.

■ **W jakich godzinach Państwo przyjmują?** Ważne pytanie, jeśli obydwoje rodzice pracują w pełnym wymiarze godzin. Niektóre stacje serwisowe mają różne godziny przyjmowania na okresowe przeglądy hobasów.

■ **Czy wyznaczyli Państwo godziny, w których można dzwonić, czy też odbierają Państwo telefony przez cały dzień?** Większość serwisów będzie się skłaniać do jednego lub drugiego systemu. Zrozumienie polityki działania już na samym początku zapobiegnie niezrozumieniom i frustracji w przyszłości.

■ **Czy pielęgniarka lub asystentka wykonuje zastrzyki?** Większość modeli boi się osoby, która robi zastrzyki. Lepiej, jeśli personel serwisowy dysponuje asystentką lub pielęgniarką, która wykona ten zabieg.

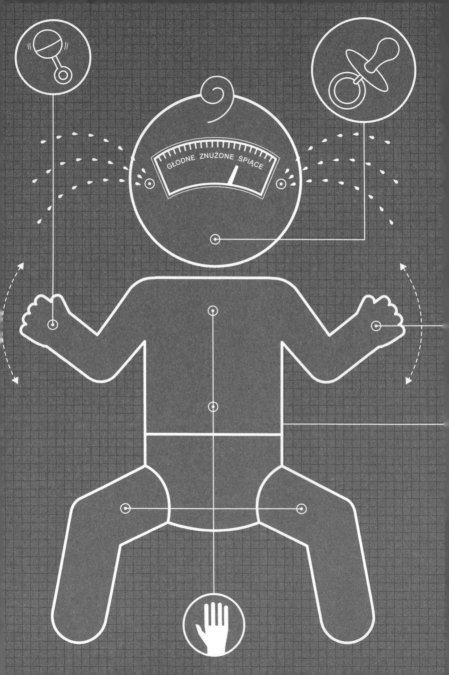

Rozdział 2

Ogólne zasady opieki

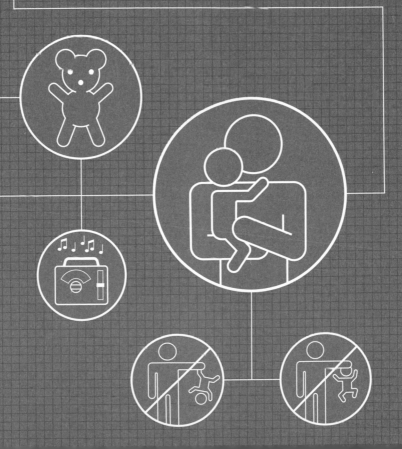

Nawiązywanie więzi z bobasem

Zaleca się posiadaczom nawiązywanie więzi z bobasem natychmiast po dostawie. Często więź rozwija się od razu. W innych przypadkach niemowlęciu i posiadaczowi należy dać trochę czasu. Nie ma dwóch takich samych modeli bobasów i nie występuje zły lub dobry sposób na zadzierzgnięcie więzi. Jednakże jeśli nie poczujesz więzi po upływie trzech do czterech tygodni, koniecznie porozmawiaj o tym z personelem serwisowym dziecka.

[1] Jak najszybciej poczuj, zobacz i powąchaj dziecko. Jeśli pozwala na to stan zdrowia niemowlęcia, poproś pielęgniarkę, położną lub lekarza, aby zaraz po dostawie położył ci oseska na piersiach.

[2] Matki, które wybrały karmienie piersią, powinny do niego przystąpić jak najszybciej (patrz s. 74). Karmienie piersią uwalnia hormony, które pomagają w kurczeniu macicy i ograniczają krwawienie poporodowe. Fizyczny akt karmienia piersią może przyspieszyć także proces nawiązywania więzi między matką a dzieckiem. Naturalne mleko jest źródłem nieocenionych korzyści zdrowotnych (patrz s. 72).

[3] Trzymaj dziecko przy sobie. Jeśli pozwala na to stan zdrowia noworodka, zadbaj, by pozostawiono go w twoim pokoju. Mów do niego lub śpiewaj. Bobas może rozpoznawać dźwięk twojego głosu.

⚠ *UWAGA: Nie spiesz się. Niektóre matki powoli przechodzą te etapy. Jeśli musisz dojść do siebie po szoku poporodowym, nim zaczniesz mieć nieustający kontakt z noworodkiem, daj sobie trochę czasu. To ważne, by matka i dziecko byli razem – ale jeszcze ważniejsze jest, by matka była na to gotowa. Pielęgniarki, ojcowie lub członkowie rodziny mogą zająć się dzieckiem w czasie, gdy matka będzie dochodzić do siebie.*

Jak się obchodzić z oseskiem

Zawsze myj ręce przed dotknięciem niemowlęcia. Na twojej skórze znajdują się bakterie, które po przeniesieniu na niemowlę mogą sprawić, że jego skóra nie będzie funkcjonować prawidłowo. Jeśli nie masz dostępu do mydła i wody, zdezynfekuj ręce chusteczkami pielęgnacyjnymi.

Podnoszenie niemowlęcia

[1] Włóż rękę pod szyję i głowę oseska, aby je podtrzymać (Rys. A). W ciągu pierwszych kilku tygodni szyja niemowlaka pełni minimalne funkcje. Dopóki się nie wzmocni, ostrożnie obchodź się z dzieckiem, aby uniknąć niepożądanego „opadnięcia" głowy.

[2] Włóż drugą dłoń pod pośladki i kręgosłup (Rys. B).

[3] Unieś dziecko, trzymając je blisko swojego ciała (Rys. C).

⚠ *UWAGA: Kładąc dziecko, zawsze podtrzymuj jego główkę dłońmi. Upewnij się, że powierzchnia, na której je kładziesz, będzie podtrzymywać jego szyję i głowę.*

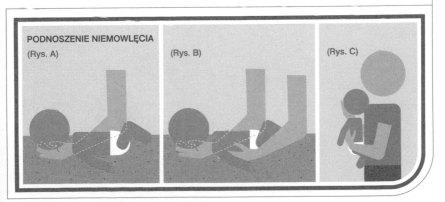

PODNOSZENIE NIEMOWLĘCIA
(Rys. A) (Rys. B) (Rys. C)

Pozycja „na fasolkę"

Dzięki trzymaniu dziecka w zagięciu ramienia po lewej stronie ciała będzie ono słyszeć bicie twojego serca. Odbierając ten sygnał, z dużym prawdopodobieństwem bobas wejdzie w tryb snu (patrz s. 116). Jest to działanie normalne i – dla wielu posiadaczy niemowląt – pożądane. (Pozycja „na fasolkę" może być także stosowana po prawej stronie ciała).

[1] Wsuń prawą dłoń pod głowę i szyję dziecka. Lewa ręka powinna podtrzymywać pośladki i kręgosłup niemowlęcia (Rys. A).

[2] Wsuń głowę i szyję dziecka w zagięcie w lewym łokciu. Będziesz mieć wolną prawą dłoń, którą możesz wykonywać inne czynności. Lewa dłoń podtrzymuje dziecko (Rys. B).

[3] Aby zwiększyć bezpieczeństwo, wsuń prawe ramię pod lewe.

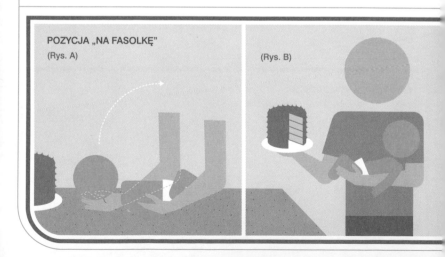

POZYCJA „NA FASOLKĘ"
(Rys. A)

(Rys. B)

Pozycja „na ramieniu"

Ta pozycja jest idealna dla świeżo upieczonych posiadaczy bobasa. Jednakże wraz ze wzrostem dziecko może coraz mniej lubić tę pozycję.

[1] Unieś dziecko tak, by jego głowa oparła się o twoje ramię nad klatką piersiową. Głowa nie powinna być przewieszona przez ramię (Rys. A).

[2] Umieść pośladki dziecka w zagięciu łokcia. Nogi zwieszają się poniżej ramienia.

[3] Aby zwiększyć bozpieczeństwo, przytrzymaj wolną ręką plecy niemowlęcia (Rys. B). Jeśli musisz się schylić, podtrzymaj głowę i szyję bobasa.

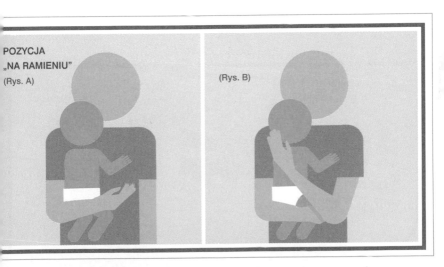

POZYCJA
„NA RAMIENIU"
(Rys. A)

(Rys. B)

Podawanie niemowlaka

W pierwszych dwóch miesiącach życia niemowlęcia jego system immunologiczny jest niezwykle wrażliwy. Zaleca się ograniczenie w tym czasie liczby odwiedzających. Zanim podasz niemowlę innej osobie, upewnij się, że umyła ona ręce.

Kiedy jeden z posiadaczy chce przekazać bobasa drugiemu, albo gdy przychodzą z wizytą przyjaciele bądź rodzina, dla bezpieczeństwa dziecka stosuj poniższe techniki.

[1] Jedną ręką podtrzymuj główkę i szyję niemowlęcia. Drugą powinno się podpierać pośladki i kręgosłup.

[2] Druga osoba krzyżuje ramiona.

[3] Umieść główkę i szyję niemowlęcia w zagięciu łokcia drugiej osoby. Poucz ją, by podtrzymywała głowę dziecka (Rys. A).

[4] Umieść dziecko w skrzyżowanych ramionach (Rys. B).

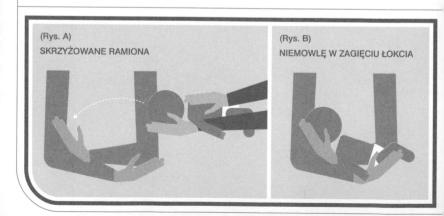

(Rys. A)
SKRZYŻOWANE RAMIONA

(Rys. B)
NIEMOWLĘ W ZAGIĘCIU ŁOKCIA

Sposób trzymania raczkującego bobasa

Raczkujące dzieci zwykle mają powyżej szóstego miesiąca życia i ważą znacznie więcej niż noworodki. Dodatkowy ciężar sprawia, że poprzednie metody podtrzymywania są nieskuteczne. Jeśli dziecko raczkuje, mięśnie głowy, szyi i pleców już się wzmocniły. Dzięki temu można zastosować nowe pozycje.

Pozycja „na biodrze"

[1] Obejmij ręką ciało bobasa, sięgając przez plecy i wsuwając ramię pod obie pachy (Rys. A).

[2] Połóż wolną dłoń na pośladkach dziecka (Rys. B).

[3] Unieś niemowlę do poziomu bioder po tej samej stronie, co ręka podtrzymująca plecy (Rys. C).

[4] Umieść dziecko na biodrze. Czasem można przechylić ciało, by wystawało biodro, dzięki czemu zyskuje się dodatkową powierzchnię podpierającą dziecko. Bobas siedzi okrakiem na boku, z jedną nogą przewieszoną z przodu, a drugą z tyłu ciała posiadacza (Rys. D).

[5] Podtrzymuj ręką dziecko na wysokości jego łopatek. Jeśli niemowlak się ciebie chwyci, możesz opuścić dłoń na dół jego pleców.

POZYCJA „NA BIODRZE"

(Rys. A)
RĘKA DOMINUJĄCA PODPIERA PLECY

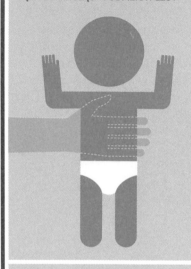

(Rys. B)
DRUGA RĘKA PODPIERA POŚLADKI

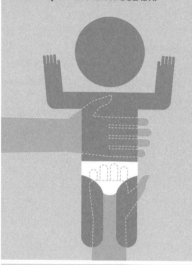

(Rys. C)
UNIEŚ MODEL DO POZIOMU BIODER

(Rys. D)
POSADŹ MODEL NA BIODRZE

Pozycja „na worek z kartoflami"

Używaj tego chwytu do przenoszenia dziecka na krótkich odległościach. Ponieważ polega on na trzymaniu bobasa w pozycji horyzontalnej, większość niemowlaków nie będzie tolerować go na dłuższą metę.

[1] Podejdź do dziecka od tyłu.

[2] Wsuń dominującą rękę pod ciało dziecka, między nogami, przesuwając ją do przodu. Zegnij łokieć, jeśli to konieczne. Połóż dłoń na klatce piersiowej niemowlęcia (Rys. A).

[3] Połóż drugą dłoń na plecach bobasa, aby utrzymał się stabilnie na twoim ramieniu (Rys. B).

[4] Unieś niemowlę i wetknij je sobie pod pachę. Druga dłoń powinna nadal podtrzymywać dziecko w stabilnej pozycji (Rys. C).

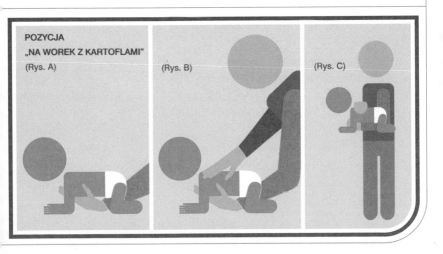

POZYCJA „NA WOREK Z KARTOFLAMI"
(Rys. A)   (Rys. B)   (Rys. C)

Płacz: usuwanie usterek sygnalizowanych dźwiękiem

System emisji dźwięku dziecka składa się z dwóch płuc, strun głosowych i ust. Bobas będzie używał tych urządzeń w celach komunikacyjnych. Ponieważ większość modeli nie przychodzi na świat z preinstalowaną funkcją języka werbalnego, pierwsze próby komunikacyjne twojego modelu mogą wydawać się pozbawione znaczenia. Jest to błędna koncepcja, choć powszechna wśród nowych posiadaczy. Sygnały dźwiękowe, zwane płaczem, często dostarczają mnóstwo przydatnych dla użytkowników informacji.

Bobas będzie płakał, jeśli jego pieluszka jest mokra lub zanieczyszczona, a także w przypadku głodu, albo gdy jest mu za zimno lub za gorąco, jeśli jest senny, kiedy męczą go gazy, gdy będzie potrzebował poczucia miłości lub pocieszenia, albo w przypadku choroby. Niektóre modele mogą płakać w celu usłyszenia dźwięku swojego głosu. Kiedy twój bobas zacznie płakać, wysokość dźwięku i częstotliwość płaczu będzie wskazywać znaczenie komunikatu. Różne powody wywołują różnorodny typ płaczu. Gdy źródło płaczu zostanie ustalone, posiadacz powinien sporządzić mentalną notatkę typu płaczu, by w przyszłości natychmiast go zidentyfikować.

Mokra lub zabrudzona pieluszka: Olfaktoryczny system posiadacza powinien wyczuć zanieczyszczenie pieluszki. Można to również sprawdzić manualnie, wsuwając palec w celu zbadania jej stanu. Reinstaluj pieluszkę w razie potrzeby (patrz s. 132). Sprawdź, czy płacz ustał.

Głód: Dziecko może poczuć głód siedem do dziesięciu razy dziennie. Podaj jedzenie niemowlęciu. Zanim rozpocznie jedzenie, może potrzebować chwili na uspokojenie się. Jeśli płacz ustanie, najprawdopodobniej to głód był powodem płaczu.

Chłód lub gorąco: Większość modeli będzie płakać częściej, gdy jest im zbyt zimno, niż w przypadku przegrzania. Wewnętrzna temperatura dziecka może wzrastać, ale model nie jest wyposażony w system alarmowy ostrzegający posiadacza. Sprawdź status odzieży dziecka i skoryguj w razie potrzeby. Starannie monitoruj pozostałe sygnały zewnętrzne, które mogą wskazać, czy dziecku nie jest zbyt gorąco. Sprawdź, czy skóra nie jest zaczerwieniona i mokra. Nie ubieraj dziecka w zbyt wiele warstw odzieży.

Zmęczenie: Dziecko może przecierać oczy, ziewać lub być ospałe w czasie płaczu. Potrzebuje wówczas wejścia w tryb snu. Sprawdź na stronie 116 instrukcje aktywacji trybu snu.

Wzdęcia: Jeśli dziecko wije się lub unosi nogi do brzucha, w systemie trawiennym może znajdować się nadmierna ilość gazów. Pomóż niemowlakowi odbić (s. 94), lub trzymaj je w pozycji, która pomoże usunąć gazy (patrz: Kolka, s. 201).

Miłość lub pocieszenie: Gdy dziecko czuje, że zostawiono je same na zbyt długo, lub przestymulowanie sprawiło, że jest zdezorientowane, może potrzebować przytulenia i pocieszenia przez jednego z posiadaczy. Spróbuj zainstalować urządzenie uspokajające w porcie ustnym (patrz s. 55).

Choroba: Jeśli dziecko zachorowało, nieprzyjemne wrażenia mogą prowadzić do płaczu. Sprawdź najpierw, czy powodem płaczu nie jest jeden z poprzednich powodów. Jeśli płacz nie ustaje przez ponad 30 minut, skontaktuj się z personelem serwisowym bobasa.

⚠ *UWAGA: Czasem trudno jest ustalić usterkę wywołującą płacz. Staraj się jak najlepiej zrozumieć płacz i zachowaj spokój.*

Pocieszanie dziecka

Posiadacze mają do dyspozycji mnóstwo technik pocieszania bobasa.

[1] Otul dziecko becikiem. Postępuj zgodnie z instrukcjami poniżej. Dziecko może poczuć się pocieszone ciepłem i poczuciem bezpieczeństwa wywołanym przez becik.

[2] Kołysz bobasa. Usiądź z dzieckiem w fotelu bujanym, umieść je w chuście, lub po prostu kołysz się w przód i w tył. Jednostajny łagodny rytm może je uspokoić.

[3] Podrzucaj dziecko, ale rób to niezwykle delikatnie. Kołysz się nieznacznie na boki.

⚠ *UWAGA: Nigdy nie potrząsaj dzieckiem. Podrzucanie powinno być bardzo delikatne i uważne. Potrząsanie może prowadzić do usterek.*

[4] Śpiewaj dziecku. System odbioru dźwięku bobasa jest niezwykle podatny na muzykę.

[5] Wprowadź zmianę w otoczeniu dziecka. Inne światło lub nowa temperatura mogą zatrzymać płacz. Pomyśl nad spacerem z wózkiem lub nosidełkiem.

[6] Zainstaluj smoczek (patrz s. 55).

Owijanie dziecka w becik

Owijanie dziecka w becik polega na ciasnym zawinięciu go w kocyk. Twój model może uspokoić się, czując się ciepło i bezpiecznie, albo też sfrustro-

wać przez nagły brak mobilności. Wypróbuj poniższe techniki i wybadaj reakcję swojego modelu.

⚠ **UWAGA**: *Owijanie w becik krępuje ruchy i może ograniczać rozwój motoryczny niemowlęcia, dlatego nie zaleca się zawijania całego ciała po pierwszych 60 dniach życia niemowlęcia. Gdy dziecko osiągnie ten wiek, najlepiej stosować wersję, która pozostawi nieskrępowane rączki, taką jak zmodyfikowany Burrito (patrz s. 54).*

Szybki Naleśnik

Szybki Naleśnik to efektywna technika dla posiadaczy z minimalnym zapasem czasu. Użyj kocyka, który zakryje całe ciało niemowlęcia.

[1] Rozłóż kwadratowy kocyk na płaskiej powierzchni.

[2] Zawiń do dołu jeden róg kocyka. Długość zawinięcia: ok. długości dłoni.

[3] Połóż dziecko po przekątnej tak, by zawinięcie znalazło się nad karkiem dziecka (Rys. A).

[4] Naciągnij prawą stronę kocyka na ciało dziecka i wetknij koniec pod lewy bok (Rys. B).

[5] Naciągnij lewą stronę kocyka na ciało dziecka i wetknij koniec pod prawy bok (Rys. C).

[6] Unieś dziecko i wetknij dolny róg kocyka pod nogi i plecy dziecka (Rys. D).

SZYBKI NALEŚNIK

Rys. A

Rys. B

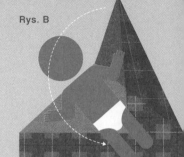

Rys. C

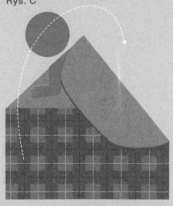

Rys. D

OWIJANIE DZIECKA W BECIK: Jeśli kołysanie, podrzucanie, śpiewani

ZWIJANIE BURRITO

Rys. A

Rys. B

Rys. C

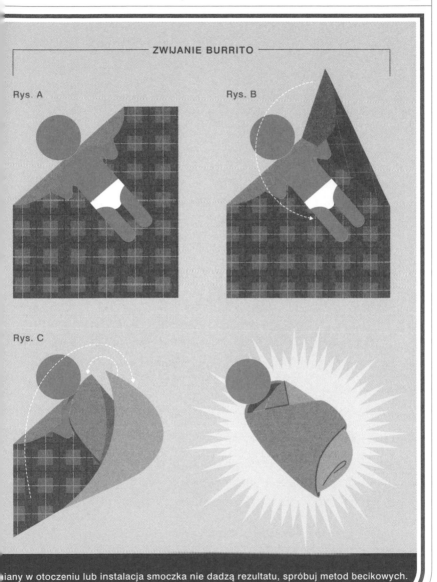

...iany w otoczeniu lub instalacja smoczka nie dadzą rezultatu, spróbuj metod becikowych.

Zwijanie Burrito

Zwijanie Burrito jest bezpieczniejsze (i nadaje się do dłuższego stosowania) niż Szybki Naleśnik. Dziecko w wykonanym prawidłowo tym sposobem beciku będzie przypominać tę popularną meksykańską potrawę, składającą się z mącznego placka tortilla, zwiniętego wokół nadzienia z mięsa lub fasoli.

[1] Rozłóż na płaskiej powierzchni kwadratowy kocyk. Kocyk powinien być na tyle duży, by całkowicie zakryć ciało dziecka.

[2] Zawiń do dołu jeden róg kocyka. Długość zawinięcia: ok. długości dłoni.

[3] Połóż bobasa po przekątnej tak, by zawinięcie znalazło się nad karkiem dziecka (Rys. A).

[4] Włóż ręce dziecka w fałdy koca. Dłonie powinny znajdować się obok ramion niemowlęcia lub jego twarzy. (Jeśli masz szczególnie aktywne dziecko, możesz wetknąć kocyk pod pachy dziecka, tak by mogło ruszać dłońmi).

[5] Nakryj prawym rogiem kocyka dziecko i wetknij go pod lewy bok (Rys. B).

[6] Zawiń dolny róg kocyka do góry (ku głowie dziecka), zakrywając nogi i nakrywając prawy róg. Wetknij róg kocyka pod prawą górną krawędź (Rys. C).

[7] Naciągnij lewy skraj na ciało dziecka. Wetknij je pod prawy róg (Rys. C).

Wybór i instalacja smoczka

Wielu posiadaczy instaluje smoczek w celu uspokojenia niemowlęcia. Większość modeli czerpie wielką przyjemność ze ssania smoczka. Naturalne smoczki to na przykład małe palce u rąk, kłykcie i kciuki. Sztuczne smoczki wykonuje się z lateksu lub silikonu, uformowanego tak, by przypominały smoczki do butelek. Można je kupić na całym świecie. Zarówno naturalne, jak i sztuczne wersje odpowiadają wszystkim modelom. Żaden z nich nie spowoduje długofalowych medycznych lub psychologicznych usterek u dzieci.

RADA EKSPERTA: Obserwuj bobasa, czy nie czuje zdezorientowania, gdy jest przystawiany do piersi. Sztuczne smoczki mogą spowodować, że dziecko zapomni, jak należy ssać pierś matki. Podczas kluczowych pierwszych dwóch miesięcy zalecamy unikanie wszystkich smoczków. Jeśli w ciągu dalszych miesięcy życia bobas ma również problemy tego typu, ogranicz lub wyeliminuj użycie smoczków.

Smoczek naturalny

[1] Obetnij paznokieć małego palca, aż nie będzie na nim żadnych ostrych krawędzi. Dziecko wybierze ten palec spośród innych na ręku posiadacza.

[2] Starannie umyj ręce.

[3] Obróć rękę wnętrzem dłoni do góry. Wyciągnij mały palec w kierunku dziecka. Pozostałe palce powinny przylegać do dłoni.

[4] Włóż mały palec w usta dziecka. Opuszek powinien dotykać podniebienia. Palec naturalnie dostosuje się do zakrzywienia podniebienia twardego.

[5] Pozwól dziecku ssać wedle woli, ale pilnuj, by palec przylegał do podniebienia.

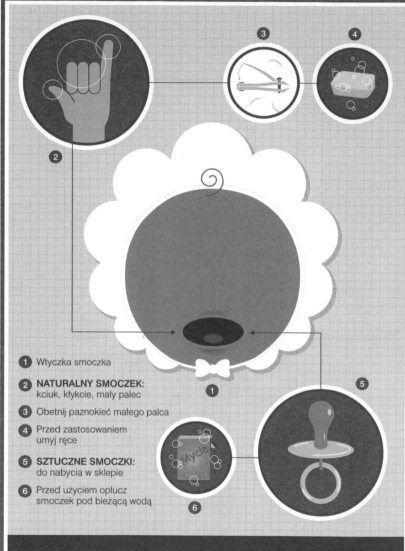

1. Wtyczka smoczka
2. **NATURALNY SMOCZEK:** kciuk, kłykcie, mały palec
3. Obetnij paznokieć małego palca
4. Przed zastosowaniem umyj ręce
5. **SZTUCZNE SMOCZKI:** do nabycia w sklepie
6. Przed użyciem opłucz smoczek pod bieżącą wodą

SMOCZKI: Zainstaluj jeden z nich, aby zaktywować tryb ciszy.

RADA EKSPERTA: *Starsze niemowlę zachęć do używania swoich palców lub kciuków do ssania. Jeśli bobas nauczy się ich używać, będzie mógł
uspokajać się bez względu na miejsce pobytu.*

Smoczek sztuczny

[1] Kup smoczek w sklepie. Smoczki występują w różnych kształtach i rozmia-
rach. Wypróbuj kilka z nich, aby określić, który typ jest kompatybilny z twoim
modelem

[2] Wysterylizuj smoczek. Włóż go do zmywarki na cały cykl lub zanurz na
pięć minut w garnku z gotującą się wodą. Zbadaj starannie smoczek, aby
upewnić się, że przez gumę nie przeniknęła woda. Jeśli tak się stało, wyciśnij
wodę (jeśli to możliwe) albo poczekaj, aż wyparuje, zanim podasz smoczek
dziecku.

[3] Włóż czubek smoczka w usta dziecka.

UWAGA: *Nie mocuj smoczka do ubrania dziecka sznurkiem lub tasiem-
ką – stwarza to niebezpieczeństwo zachłyśnięcia się lub uduszenia.*

[4] Kup kilka smoczków. Kiedy już znajdziesz smoczek kompatybilny ze
swoim modelem, trzymaj jeden w łóżeczku, jeden w torbie z pieluchami, jeden
w samochodzie i w kieszeni, a pozostałe w różnych miejscach domu.

[5] Wymieniaj smoczki – szczególnie te z zużytymi końcówkami.

UWAGA: *Smoczków należy używać do uspokojenia dziecka między
karmieniami, ale nigdy zamiast nich. Bez regularnych dostaw żywności bobas
zacznie szwankować.*

Masowanie dziecka

Wiele stacji serwisowych zapewnia, że masaż wzmacnia system immunologiczny, wspiera rozwój mięśni i stymuluje wzrost dziecka. Masaż ma uspokajający wpływ na większość modeli i pozwala posiadaczowi i bobasowi na pogłębienie więzi. Jedynymi narzędziami potrzebnymi do masażu są ręce posiadacza. Delikatnie pocieraj i miękko głaszcz ciało bobasa. Ogrzej pomieszczenie. Jeśli dziecko nie będzie protestować, rozbierz je. Jeśli używasz do masażu oliwki, wybierz tę tłoczoną na zimno, na przykład olej krokoszowy lub migdałowy.

[1] Wymasuj nogi i stopy dziecka. Zacznij od ud i podążaj ku palcom nóg. Każdorazowo masuj jedną nogę.

[2] Wymasuj brzuszek. Dłonią z rozpostartymi palcami gładź brzuch kolistymi ruchami.

⚠ *UWAGA: Masaż brzucha może spowodować emisję uryny lub gazów. Zanim przystąpisz do tego masażu, podłóż pod dziecko ręcznik.*

[3] Masuj klatkę piersiową. Dłonią z rozpostartymi palcami gładź klatkę piersiową, zaczynając od środka i kierując się ku ramionom.

[4] Rozmasuj ramiona i ręce. Zacznij od ramion i podążaj ku palcom. Zajmij się każdą ręką po kolei.

[5] Masuj twarz dziecka. Zakreślaj kółeczka kciukami, a potem lekko gładź twarz opuszkami palców.

MASAŻ BOBASA

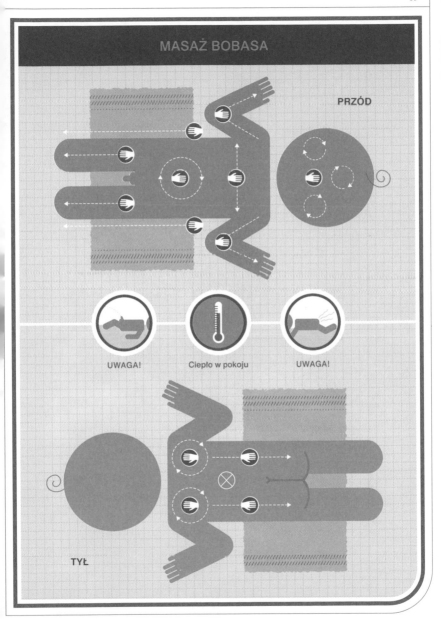

PRZÓD

UWAGA!

Ciepło w pokoju

UWAGA!

TYŁ

[6] Przewróć dziecko na brzuch i wymasuj plecy. Zacznij od ramion i rozmasuj osobno obie połowy pleców. Omijaj kręgosłup.

[7] Zakończ masaż. Obróć dziecko na plecy i lekko głaszcz palcami ciało dziecka od stóp do głowy. Tak zasygnalizujesz, że nastąpił koniec masażu. Nawet jeśli nie masz czasu na każdy krok masażu, zawsze zaleca się wykonanie ostatniego etapu.

RADA EKSPERTA: Certyfikowani instruktorzy masażu czasem prowadzą kursy masażu dla rodziców. Szpital lub szkoła rodzenia mogą dysponować dodatkowymi informacjami na ten temat.

Zabawa z niemowlęciem

Częsta zabawa przynosi korzyści wszystkim modelom. Zabawa służy trzem celom: uszczęśliwia dziecko, aktywuje tryb snu i uczy dziecko relacji ze światem. Znajdź czas, by często bawić się z dzieckiem.

Zabawy z muzyką

Podczas zabawy zaleca się włączanie muzyki. Uczy ona dziecko podstaw rytmu, ruchu i wokalizacji, a także wspiera rozwój intelektualny i twórczy dziecka.

[1] Wybierz odpowiedni utwór muzyczny. Najodpowiedniejsze będą kołysanki lub inna melodyjna muzyka z najwyżej dwiema warstwami dźwięku. Wybierz piosenki z prostym rytmem perkusji.

[2] Odtwórz muzykę.

[3] Tańcz z dzieckiem. Trzymaj bobasa w sposób, który jest odpowiedni ze względu na jego siłę mięśni szyi i pleców. Poruszaj całym ciałem, by dziecko mogło poczuć rytm.

[4] Śpiewaj dziecku. Jeśli nie znasz słów, naśladuj gaworzenie. Dziecko może zacząć śpiewać z tobą.

Gry wzmacniające

Niektóre formy zabawy mają dodatkowy plus w postaci ćwiczenia mięśni dziecka, co może wpływać pozytywnie na jego rozwój. Odpowiednie ćwiczenia wzmacniają mięśnie bobasa, poprawiają jego koordynację ruchową i zwiększają kontrolę motoryczną.

⚠ *UWAGA: Posiadacze nie powinni hołdować poglądowi, że są osobistymi trenerami dziecka, ponieważ nie potrzebuje ono wysiłku ruchowego. Poniższe ćwiczenia mają na celu jedynie wzmocnienie mięśni i rozwój umiejętności bobasa.*

Ćwiczenia na brzuszku: Połóż dziecko na podłodze. Połóż się obok niego i mów. Dziecko, reagując, wzmacnia szyję, plecy i mięśnie brzucha. Może na ciebie patrzeć, obracać głowę, by na ciebie spojrzeć, podpierać się, aby cię zobaczyć, albo przewracać się na plecy.

Ćwiczenia w siadaniu: Przeprowadzanie tych ćwiczeń sprawia radość wielu modelom i przyczynia się korzystnie do wzmacniania mięśni brzucha i szyi. Dzięki tym ćwiczeniom dziecko łatwiej będzie samo siadało. Usiądź i połóż sobie dziecko na udach tak, by jego głowa znalazła się na twoich kolanach. Pilnując, aby dziecko miało wyprostowane nogi, wsuń dłonie pod pachy i zegnij je w talii, podnosząc górną część ciała dziecka do pozycji pionowej. W przypadku starszych dzieci trzymaj je za ręce i przedramiona i pociągnij ku sobie. Powtórz ćwiczenie.

⚠ **UWAGA**: *Dopóki dziecko nie skończy przynajmniej jednego roku, nie podnoś go, łapiąc za stopy lub ręce. Może to wywołać usterkę stawów.*

Ćwiczenia z wstawania: Wiele modeli czerpie radość z wykonywania tego prostego ruchu, ponieważ mogą patrzeć ci w twarz i używać w zabawie nóg. Dodatkowo, dzięki tej zabawie wzmacniają mięśnie nóg i pleców. Usiądź z dzieckiem posadzonym na udach i skierowanym do ciebie twarzą. W przypadku młodszych bobasów wsuń obie ręce pod pachy, podnieś do pozycji stojącej i z powrotem posadź. W przypadku starszych niemowlaków, unieś dziecko, trzymając je w pasie, aż stanie, a potem z powrotem posadź.

Wybór akcesoriów zabawkowych

Stosowanie akcesoriów zabawkowych może, ale nie musi być nieodzowne w przypadku jednomiesięcznych osesków, ale gdy dziecko się rozwija, zabawki mogą okazać się potrzebne w stymulacji mentalnej. Wybieraj zabawki, które są odpowiednie dla danego wieku dziecka. Stosuj się do zaleceń producentów. Niemowlę ma ograniczone wyczucie niebezpieczeństwa, stąd konieczność unikania zabawek z ostrymi krawędziami, odpadającymi elementami lub małymi częściami. Wybieraj zabawkę stymulującą. Najlepsze akcesoria angażują dwa lub więcej spośród podstawowych zmysłów dziecka (wzrok, słuch, dotyk, smak i zapach). Wybieraj książkę z włochatymi stronicami lub pachnącą zabawkę.

Zabawki w 1. miesiącu życia

Karuzela z biało-czarnymi figurami: Zainstaluj karuzelę z biało-czarnymi kształtami nad łóżeczkiem, tuż poza zasięgiem dziecka (około 30-38 cm nad materacykiem). W ciągu pierwszych tygodni życia dziecko reaguje pozytywniej na czarno-białe figurki niż na kolory.

Odtwarzacz muzyki: Użyj radia, magnetofonu, odtwarzacza CD lub pozytywki, by zapoznać dziecko z muzyką. Badania sugerują, że wyższe, spokojniejsze i melodyjniejsze dźwięki, takie jak w kołysankach, są najlepiej odbierane przez dziecko.

Pluszowe zwierzątka: Niemowlęta często uważają, że te zabawki to żyjący, oddychający towarzysze (zwłaszcza jeśli zwierzątko ma duże oczy). To usterka techniczna, która sama zniknie w ciągu siedmiu do dwunastu lat.

Zabawki w miesiącach 2.-6.

⚠ **UWAGA:** *Upewnij się, że zabawka jest bezpieczna. Wszystkie modele zaczynają poznawanie zabawki od włożenia sobie obiektów do ust. Upewnij się, że wszystkie zabawki zostały solidnie skonstruowane, są starannie zszyte i nie mają odpadających lub małych elementów. Regularnie sprawdzaj zabawki, aby upewnić się, że spełniają wszystkie standardy.*

Maty zabawowe: w sprzedaży w wielu sklepach dziecięcych. Są to kolorowe wzorzyste podkładki ze zwieszającymi się zabawkami, które pomagają dziecku nauczyć się wyciągać rękę do interesujących go przedmiotów i w końcu je łapać.

Książeczki: Wybieraj książki, które mogą być odkrywane przez dziecko wszystkimi zmysłami. Książki z deseczek, z materiału, książeczki piankowe –

to użyteczne narzędzia, które w przyszłości wzbudzą w dziecku chęć czytania. Pozwól mu bawić się nimi, bez znaczenia, czy będzie na nie patrzyło, dotykało czy żuło.

Instrumenty: Wiele osesków uwielbia grać lub słuchać muzyki na żywo. Małe bębenki czy dzwoneczki (bez ostrych krawędzi) mogą dostroić sensory dźwiękowe niemowlęcia.

Karuzele: W wieku sześciu miesięcy bobas umie rozróżniać kolory i poddawać mentalnej obróbce skomplikowane kształty. Aby pomóc w rozwoju zmysłów dziecka, wybierz wiszącą lub ruchomą karuzelę z niezwykłymi figurkami w jaskrawych kolorach. Zastąp kolorową zabawką biało-czarną karuzelę nad łóżeczkiem niemowlęcia lub w miejscu, gdzie można położyć bobasa.

Grzechotki, piszczące zabawki i piłki: Gdy niemowlę rozwija zdolność łapania i manipulowania przedmiotami, podawaj mu małe, mieszczące się w dłoni zabawki, aby dodatkowo wspomóc jego rozwój. Zabawki wydające dźwięki nauczą dziecko zasady przyczyny i skutku.

Niełamiące się plastikowe lusterka: Umieść lusterko obok przewijaka lub przytwierdź mocno do szczebelków łóżka, by dziecko miało chwilę rozrywki i uczyło się rozpoznawać siebie.

⚠ *RADA EKSPERTA: Niektóre najlepsze (i najtańsze) zabawki dziecięce to przedmioty codziennego użytku, takie jak łyżki lub podkładki pod talerze. Dobrze je znasz, ale dla dziecka przedstawiają sobą ekscytującą nowość. Wybieraj obiekty za duże, by się zmieściły w ustach dziecka i bez łatwo odrywalnych części, ostrych krawędzi, a także takie, które nie stwarzają zagrożenia uduszenia dziecka.*

Zabawki w wieku 7-12 miesięcy

Piłki: Dziecku wciąż może podobać się smakowanie zabawek, upewnij się więc, że są za duże, by się zmieściły w ustach dziecka (i za twarde, by się udało odgryźć kawałek). Gdy dziecko zbliża się do dwunastego miesiąca życia, może zacząć toczyć piłkę, a nawet rzucać nią w ciebie.

Zabawki do wanny: Gumowe przedmioty unoszące się na tafli, albo do których można nalać wody i nią pryskać, czy też przylepić do ścian wanny, mogą podczas kąpieli sprawić dziecku wiele radości.

Klocki: Drewniane i plastikowe klocki pomogą dziecku w nauczeniu się, jak umioczczać na sobie przedmioty. Wiele modeli woli rozrzucać klocki, niż je układać. Jest to normalne funkcjonowanie bobasów.

Lalki i pluszowe zwierzątka: Zabawiaj dziecko przedstawieniami albo sprawiając, że jego nieruchomi przyjaciele zaczną tańczyć i śpiewać.

Zabawki nakręcane: Zabawki tego typu często wykonują jakieś czynności po pociągnięciu sznurka. Zabawa nimi nauczy dziecko podstaw zasady przyczyny i skutku. Zawsze nadzoruj dziecko, które się bawi tego typu zabawkami, ponieważ może połknąć sznurek lub oderwać przycisk uruchamiający zabawkę.

Chodziki: Gdy dziecko jest już na tyle silne, by podciągać się przy meblach i postawić kilka kroków z podparciem, wielu posiadaczy kupuje chodzik. Chodziki na kółkach używane są jako podpórka dla niemowlaka, gdy stawia pierwszych kilka kroków. Chodziki mogą mieć kształt wozów, foteli na kółkach lub innych przedmiotów, których niemowlę może się przytrzymać i użyć do przesuwania po podłodze. Nie zaleca się jednakże chodzików, do których wkłada się dziecko.

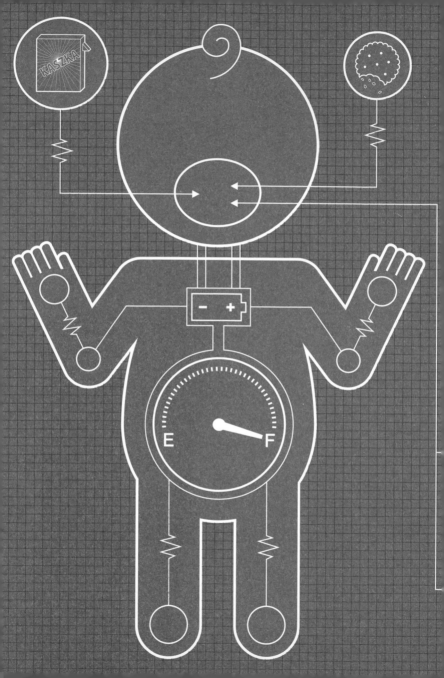

Rozdział 3

Karmienie: jak zrozumieć system zasilania bobasa

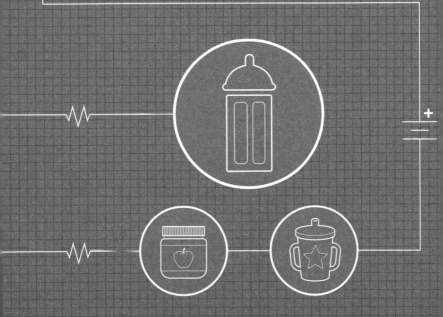

Programowanie harmonogramu karmienia niemowlęcia

Nie istnieją ściśle określone zalecenia, ile jedzenia powinno pochłaniać dziecko. Każdy model jest niepowtarzalny i ma swoje szczególne wymagania. Jednakże dogłębne badania wskazują na to, że większość noworodków zjada od 59 do 88 ml podczas każdego karmienia co trzy-cztery godziny. Ten zwyczaj może się zmieniać w zależności od stanu zdrowia, aktywności, szybkości wzrostu, a nawet warunków pogodowych. Wraz z wiekiem dziecko będzie potrzebować coraz rzadszych pór karmienia.

Pomiar karmienia niemowlęcia. 1. miesiąc

Aby ustalić właściwy harmonogram karmienia swojego modelu, zwróć uwagę na poniższe trzy pomiary.

Przyrost wagi: Po pierwszym tygodniu życia, w ciągu którego dziecko może stracić do jednej dziesiątej wagi po urodzeniu – noworodek ogólnie będzie zyskiwał do 28 g dziennie. Jeśli bobas będzie przybierać na wadze zgodnie z tym schematem, możesz uznać, że dziecko otrzymuje wystarczającą ilość pożywienia. Zapamiętaj, ile przybyło dziecku na wadze przy następnym przeglądzie serwisowym dziecka. Jeśli waga niemowlęcia przekracza lub prawie dorównuje temu harmonogramowi, najpewniej niemowlak otrzymuje właściwą ilość pożywienia.

Sygnały fizyczne: Wbudowany odruch ssania (patrz s. 82) może być pomocny w mierzeniu apetytu. Jeśli dziecko jest głodne, może aktywować odruch ssania – usta otwierają się i osesek zdaje się szukać pożywienia.

Pieluszki: Większość dobrze odżywionych niemowląt będzie moczyć lub brudzić sześć do ośmiu pieluszek dziennie.

Pomiar karmienia niemowlęcia.

Od 2 do 6 miesiąca

Od drugiego do szóstego miesiąca życia dziecko spożywa mleko naturalne lub modyfikowane według bardziej przewidywalnego harmonogramu. Około czwartego miesiąca niemowlę może być już gotowe do konsumpcji prostego pożywienia stałego, takiego jak kaszka ryżowa. Nie ma określonych wytycznych, ile jedzenia powinno pochłaniać dziecko. Większość modeli będzie jadła osiem razy w ciągu dnia, w miarę upływu czasu z coraz mniejszą częstotliwością. Jeśli ilość spożywanego jedzenia wzbudza twoje obawy, skup się na poniższych trzech pomiarach.

Przyrost wagi: W tym okresie dziecko przybiera od 14 do 28 g dziennie. Przy następnej wizycie u personelu serwisowego dziecka zapamiętaj, ile przytył niemowlak. Jeśli waga dziecka przekracza lub prawie dorównuje wytycznym, najpewniej bobas otrzymuje właściwą ilość pożywienia.

Sygnały fizyczne: Odruch ssania dziecka zamieni się w bardziej celowe poszukiwanie jedzenia. Osesek może próbować przyssać się do twojego ramienia lub ssać palce, dając znak, że jest głodny. Dzięki temu będzie ci łatwiej określić, kiedy dziecko wymaga karmienia. W tym okresie niemowlę będzie co trzy-cztery godziny dawać posiadaczowi sygnały o konieczności nakarmienia.

Pieluszki: Monitoruj pieluszki niemowlęcia, aby określić, czy każde jedzenie zostało prawidłowo przerobione. Gdy wprowadzisz do menu dziecka pożywienie stałe, produkty odpadowe nabiorą stałej konsystencji i przyjmą kolor jedzenia.

Pomiar karmienia niemowlęcia.
Od 7 do 12 miesiąca

Od siódmego do dwunastego miesiąca niemowlę zacznie domagać się jedzenia w regularnych odstępach czasu. Choć podstawą diety nadal będzie mleko naturalne lub modyfikowane, zacznij uzupełniać dietę różnorodnym pożywieniem stałym: przetartymi owocami i warzywami, a w końcu jedzeniem, które można zjeść prosto z ręki, mięsem i innymi białkami.

W ciągu siedmiu miesięcy posiadacz powinien wykształcić sobie wyraźne wyczucie, ile pożywienia jest dziecku potrzebne. Jeśli twoje obawy wzbudza ilość spożywanego jedzenia, skup się na poniższych trzech pomiarach.

Przyrost wagi: W tym okresie dziecko przybiera około 14 g dziennie. Zgodność z tym pomiarem wskazuje normalne funkcjonowanie bobasa i właściwą ilość zjedzonego pożywienia.

Sygnały fizyczne: Do tego momentu fizyczne sygnały wysyłane przez dziecko – płacz, gryzienie przedmiotów i próby „jedzenia" rąk – powinny być już znane posiadaczowi i oczywiste. Także apetyt dziecka na jedzenie może zbiegać się z twoim osobistym czasem spożywania posiłków (choć dziecko będzie potrzebować dodatkowych przekąsek w międzyczasie).

Pieluszki: Kontynuując podawanie dziecku pożywienia stałego, spowodujesz, że zanieczyszczenia będą gęstnieć, a kolor upodobni się do koloru pożywienia. Zanieczyszczone pieluszki nadal będą stanowić dobrą wskazówkę, że proces spożycia jedzenia działa prawidłowo.

⚠ *RADA EKSPERTA: Ogólnie, dziecko będzie zjadać około 177 do 236 ml mleka cztery do sześciu razy dziennie, nie licząc pożywienia stałego.*

Karmienie na życzenie kontra zmienny harmonogram karmienia

Większość posiadaczy stosuje jedną lub dwie poniższe techniki, aby określić, czy ich model wymaga nakarmienia.

Karmienie na życzenie: Wszystkie modele od początku są wyposażone w sygnały fizyczne wskazujące konieczność dostarczenia dodatkowego pożywienia. Te sygnały mogą polegać na (ale nie ograniczać się doń) płaczu, ssaniu i gryzieniu rąk. Posiadacze, którzy stosują „karmienie na życzenie", podają jedzenie po otrzymaniu któregoś z powyższych sygnałów.

Zmienny harmonogram karmienia: jest preferowany przez posiadaczy dzieci starszych niż trzy miesiące. Zmienny harmonogram karmienia polega na podawaniu jedzenia co dwie do trzech godzin (z uwzględnieniem zwyczajowych drzemek dziecka, uwarunkowań rozwojowych i stanu zdrowia). Harmonogram ten pomaga w ustaleniu codziennych zwyczajów.

Mleko naturalne kontra modyfikowane wybór źródła pożywienia dziecka

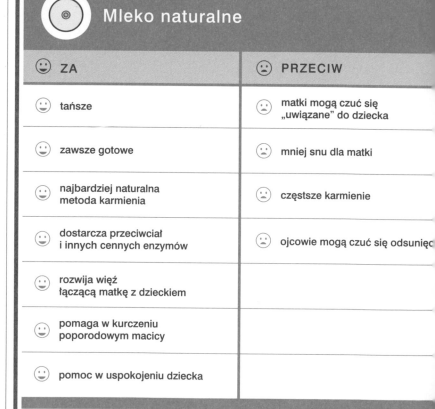

Mleko naturalne

🙂 ZA	🙁 PRZECIW
🙂 tańsze	🙁 matki mogą czuć się „uwiązane" do dziecka
🙂 zawsze gotowe	🙁 mniej snu dla matki
🙂 najbardziej naturalna metoda karmienia	🙁 częstsze karmienie
🙂 dostarcza przeciwciał i innych cennych enzymów	🙁 ojcowie mogą czuć się odsunięc
🙂 rozwija więź łączącą matkę z dzieckiem	
🙂 pomaga w kurczeniu poporodowym macicy	
🙂 pomoc w uspokojeniu dziecka	

wsze pożywienie dziecka może zawierać mleko naturalne lub modyfikowane.
arze pediatrzy, pielęgniarki, położne i pozostały personel serwisowy przemysłu
eki dziecięcej są zgodni co do tego, że mleko ludzkie jest lepszym źródłem pokarmu
zwoli bobasowi osiągnąć najlepsze wyniki działania. Jednakże niektórzy posiadacze
mogą karmić piersią, a inni stwierdzają, że takie karmienie jest niepraktyczne.
emyśl wszystkie opcje i wybierz to, co jest dla ciebie najlepsze.

Mleko modyfikowane

😊 ZA	😞 PRZECIW
😊 każdy może karmić	😞 nie ma przeciwciał
😊 mniej karmień	😞 droższe
😊 łatwy pomiar ilości zjedzonego pokarmu	😞 potrzebna większa liczba sprzętu
😊 łatwiej karmić dziecko w podróży	😞 więcej przygotowań
😊 matka nie musi dostosowywać się medycznie ani dietetycznie	

Karmienie piersią

Piersi męskiego rodzica nie są kompatybilne z systemem wchłaniania pożywienia dziecka. Jeśli jesteś męskim rodzicem, zalecamy, abyś przeczytał uważnie podane poniżej informacje, a następnie przekazał instrukcję żeńskiemu rodzicowi, aby się z nimi zapoznał.

Podstawy karmienia piersią

Dziecko po dostawie wyposażone jest w instynkty i umiejętności, pozwalające matce niemalże natychmiast rozpocząć karmienie piersią. Właściciel dziecka jednakże musi przejść dodatkowe szkolenie. Zapoznaj się z poniższymi definicjami.

Siara: W pierwszych dniach życia dziecka piersi matki produkują gęsty, żółtawy płyn. Siara jest bogata w przeciwciała, białko i elementy ochronne.

Mleko pierwszej i drugiej fazy: Podczas pojedynczego karmienia piersi matki zwykle dostarczają dwóch rodzajów mleka. Najpierw dziecko otrzymuje mleko pierwszej fazy – rzadki, wodnisty płyn, który zaspokaja pragnienie. Po nim płynie mleko drugiej fazy, które jest bogatsze, gęstsze i niezbędne do wzrostu i zdrowego funkcjonowania dziecka.

Odruch wypływania mleka: Gdy dziecko zaczyna jeść, odruch wypływania u karmiącej matki mleka może aktywować się automatycznie. Ciało kobiety wytwarza hormony stymulujące produkcję mleka i wypływ pokarmu z sutków. Należy wiedzieć, że niektóre matki nie mają odruchu wypływania mleka. Jest to całkowicie normalne.

Nabrzmiałe piersi: Piersi matki mogą wypełniać się przed karmieniem, aby przystosować się do harmonogramu karmienia, powodując potencjalnie niewygodne obrzmienie. Można ulżyć obrzmiałym piersiom, przystawiając dziecko, stosując ciepłe lub zimne kompresy lub używając laktatora.

RADA EKSPERTA: *Jeśli stosujesz laktator, aby zlikwidować obrzmienie, nie upuszczaj więcej niż 30 ml za jednym razem. Im więcej mleka wypływa z twojego organizmu, tym więcej zostanie wyprodukowane.*

Akcesoria niezbędne podczas karmienia piersią

Poniższe przedmioty mogą uczynić karmienie piersią łatwiejszym. Wszystkie są łatwo dostępne w sklepach.

Poduszki do karmienia piersią: Są to specjalnie zaprojektowane poduszeczki, którymi można się owinąć i które będą służyć jako podpórka dla dziecka podczas karmienia

Chusty: Niektórzy posiadacze stwierdzają, że przerzucane przez ramię chusty (s. 30) zapewniają pożądane podparcie podczas karmienia.

Wygodne krzesło lub fotel bujany: Krzesło, które pasuje do budowy ciała matki i jej stylu siedzenia, może zwiększyć wygodę podczas karmienia. Niektórzy posiadacze wolą otomanę.

Koszule i staniki dla matek karmiących: Koszule dla matek karmiących z zachodzącymi na siebie połami zamiast guzików ułatwiają dostęp do piersi. Staniki dla matek karmiących również ułatwiają dostęp oraz zapewniają suchość po karmieniu. Kup staniki dopiero po rozpoczęciu produkcji mleka, ponieważ rozmiar piersi ulega wtedy zmianie.

Laktatory i akcesoria: laktator jest to ręczne lub elektromechaniczne urządzenie do spuszczania mleka z piersi. Laktator pozwala żeńskiemu rodzicowi na przerwę w nieustającym karmieniu i daje męskiemu rodzicowi szansę nawiązania więzi z dzieckiem. Jest to raczej kosztowny

przedmiot. Możesz wypożyczyć go ze stacji serwisowej dziecka lub z miejscowego szpitala. Laktator powinien być używany w połączeniu z butelkami do przechowywania i torbami oraz butelkami do karmienia i smoczkami.

Jak się odpowiednio odżywiać

Skład mleka w piersiach zmienia się zależnie od rodzaju jedzenia spożywanego przez matkę. Aby zapewnić niemowlakowi korzyści płynące ze zdrowej diety – i osiągnąć najlepsze wyniki działania dziecka – należy stosować się do poniższych zaleceń.

[1] Dostosuj liczbę zjadanych kalorii. Posiadaczom radzi się zwiększenie dziennego spożycia o 300-500 kalorii. Zapytaj personel serwisowy dziecka, czy jest to konieczne dla ciebie i twojego modelu.

[2] Jedz dobrze zbilansowaną dietę. Oznacza to kilka posiłków dziennie złożonych z pełnoziarnistego pieczywa, kasz, owoców, warzyw i nabiału oraz obfitości białek, wapnia i żelaza.

[3] Unikaj tytoniu, kofeiny i alkoholu. Najnowsze badania wskazują, iż palenie tytoniu ma bezpośredni związek z syndromem nagłej śmierci noworodków (patrz s. 215). Kofeina jest do zaakceptowania, ale tylko w ograniczonej ilości; planuj jej spożycie z wyprzedzeniem – zawsze po karmieniu piersią, by mogła opuścić system trawienny przed rozpoczęciem następnego karmienia. Takie samo planowanie jest konieczne przy spożyciu alkoholu – ale zaleca się ogólne unikanie piwa, wina i koktajli.

[4] Niektórzy posiadacze mogą nierozważnie stosować przyprawy. Mleko o zapachu czosnku, curry czy imbiru może nie smakować niektórym mode-

Iom, choć inne mogą nie zauważyć różnicy. Uważaj więc, kiedy jesz ten rodzaj pożywienia, i zapamiętaj reakcję modelu.

[5] Unikaj jedzenia, które powoduje wzdęcia, jeśli dziecko cierpi na kolki (patrz s. 201).

[6] Skonsultuj się z personelem serwisowym dziecka w kwestii witamin, lekarstw i odżywek. Wielu posiadaczy kontynuuje zażywanie witamin spożywanych w ciąży, gdy już karmią piersią. Zawsze skonsultuj się z personelem serwisowym dziecka, zanim spożyjesz odżywkę lub zapisane lekarstwo.

[7] Pij przynajmniej dwa litry wody dziennie.

[8] Unikaj diet redukcyjnych.

⚠ *UWAGA: Jeśli już zaczniesz dietę redukcyjną, skonsultuj się z personelem serwisowym, aby upewnić się, że dziecko otrzyma odpowiedni pokarm. Unikaj pigułek odchudzających i planuj utratę mniej więcej pół kilo tygodniowo, łącząc zdrową dietę z ćwiczeniami. Odczekaj przynajmniej sześć tygodni od urodzenia dziecka, zanim zaczniesz próbować utracić wagę. Pamiętaj, że żeńscy posiadacze nie wracają do wagi sprzed urodzenia dziecka przed upływem 10 do 12 miesięcy. Pamiętaj też, że karmienie piersią pozwala spalić 300 kalorii dziennie.*

[9] Uważaj na symptomy alergii. Jeśli niemowlę ma oznaki alergii, takie jak gazy, biegunka, wysypka czy też ogólne rozdrażnienie, może mieć alergię pokarmową. Wyeliminuj z diety na dwa tygodnie produkty mleczne i sprawdź, czy stan zdrowia dziecka uległ poprawie. Jeśli tak, opowiedz o swoim odkryciu personelowi serwisowemu dziecka.

Pozycje karmienia piersią

Posiadacz może karmić dziecko w dowolnej pozycji. Poniżej wymienione są trzy najpopularniejsze z nich. Zaawansowani użytkownicy mogą modyfikować pozycje, tworząc najbardziej odpowiedni dla siebie wariant.

⚠ *RADA EKSPERTA: Wielu posiadaczy rozbiera siebie i dziecko przed karmieniem piersią. Zwiększenie bezpośredniego kontaktu między matką a dzieckiem może stymulować zarówno chęć jedzenia, jak i produkcję mleka.*

Pozycja „na fasolkę"

Ten ogólny „wielozadaniowy" sposób trzymania dziecka stanowi jedną z najłatwiejszych pozycji dla początkującego użytkownika (Rys. A).

[1] Usiądź w wygodnym miejscu. Użyj poduszek do podparcia ramion, pleców, w celu łatwiejszego utrzymania dziecka. Jeśli uznasz to za konieczne, postaw stopę na stołeczku.

[2] Umieść dziecko na podołku. Niech jego głowa znajdzie się blisko piersi, którą zamierzasz mu podać.

[3] Obróć dziecko tak, byś patrzyła na jego twarz. Twoja pierś znajdzie się przy twarzy dziecka.

[4] Wsuń ją między ręce dziecka, by ograniczyć jego ruchliwość.

[5] Zachęć dziecko, by się przyssało (patrz s. 82).

Pozycja „na amerykańskiego futbolistę"

Ta pozycja jest często stosowana przez matki po cesarskim cięciu, ponieważ dzięki niej dziecko nie opiera się o szew. Może być stosowana w przypadku każdego modelu, bez względu na sposób dostawy (Rys. B).

[1] Usiądź w wygodnym miejscu. Wetknij poduszki pod ramiona i umieść stopę na stołeczku.

[2] Wsuń rękę pod plecy i główkę dziecka tak, by jego stopy znalazły się między twoim ramieniem a bokiem. Jeśli karmisz lewą piersią, użyj lewej ręki. Jeśli karmisz prawą, zastosuj prawą rękę. Podtrzymuj głowę i szyję dziecka.

[3] Obróć dziecko twarzą do siebie.

[4] Wsuń tors dziecka pod pachę.

[5] Zachęć dziecko, by się przyssało (patrz s. 82).

Pozycja leżąca

Pozycję tę stosuje się najczęściej w nocy. Jest też wskazana, gdy matkę ogarnia zmęczenie.

[1] Połóż się. Jeśli chcesz podać dziecku lewą pierś, połóż się na lewym boku. Jeśli chcesz karmić prawą, leż na prawym boku.

[2] Podeprzyj plecy poduszką, wsuń pod głowę podparcie i kolejną poduszkę między kolana.

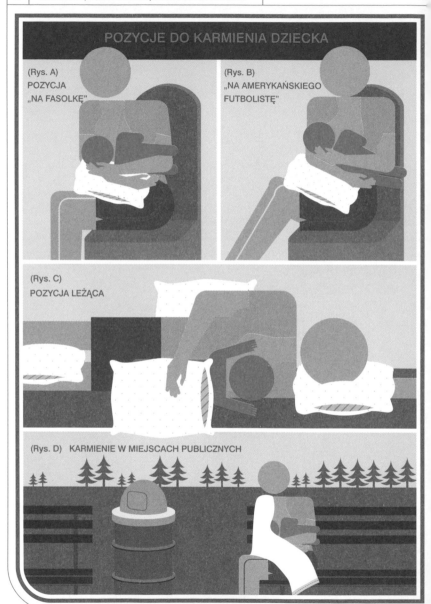

[**3**] Połóż dziecko przy piersi. Niemowlę powinno być zwrócone do ciebie twarzą, a jego głowa musi znajdować się na wysokości twojej piersi.

[**4**] Podłóż poduszkę pod plecy dziecka, aby przytulało się do twojego ciała.

[**5**] Zachęć dziecko, by się przyssało (patrz s. 82).

Karmienie w miejscach publicznych

Publiczne karmienie piersią jest akceptowane w większości miejsc. Aby karmienie było wygodniejsze, stosuj poniższe techniki (Rys. D).

[**1**] Poszukaj cichego, wygodnego miejsca. Jeśli jesteś na otwartej przestrzeni, znajdź nieuczęszczane miejsce, najlepiej z ławką lub siedzeniem. Jeśli znalazłaś się w restauracji lub sklepie, poproś obsługę, by ci wskazała dostępny pokój lub biuro.

[**2**] Zastosuj pozycję „na fasolkę" lub „na amerykańskiego futbolistę". Osłoń ramię i dziecko kocykiem, który służy jako namiot, zakrywając głowę niemowlęcia i twoją nagą pierś. Kocyk nie powinien być zbyt ciężki. Nie może też znaleźć się zbyt blisko twarzy dziecka.

[**3**] Rozpocznij karmienie (patrz s. 82).

[**4**] Pomóż dziecku w odbijaniu (patrz s. 94), wciąż zasłaniając kocykiem bobasa i swoją pierś.

[**5**] Kiedy jesteś gotowa zmienić piersi, przełóż kocyk.

Przystawianie do piersi

Prawidłowe przystawienie do piersi gwarantuje dobre karmienie. Słabe podłączenie twojego modelu do ciebie zaowocuje nieefektywnym, frustrującym, a często i bolesnym karmieniem.

[1] Obróć dziecko twarzą do piersi, co umożliwi niemowlęciu wyraźny widok źródła pożywienia. Ciało dziecka powinno być wyprostowane.

[2] Aktywuj odruch ssania bobasa. Pogładź policzek dziecka palcem. Niemowlę powinno obrócić się w kierunku bodźca i otworzyć aparat ustny w oczekiwaniu na jedzenie (Rys. A).

[3] Unieś głowę i ciało dziecka w kierunku piersi. Zawsze unoś dziecko, nigdy nie zbliżaj piersi ku niemu.

[4] Dopilnuj, by dziecko zamknęło usta wokół sutka i aureoli. Prawidłowe przyssanie utworzy szczelny zacisk ust dziecka na piersi (Rys. B). Górna warga dziecka powinna zawijać się ku górze. Jeśli niemowlę uchwyciło tylko sutek i część aureoli, zacisk może sprawiać matce ból (i nie przynieść satysfakcji dziecku).

[5] Gdy dziecko już się przyssało, przytul je do siebie całym ciałem. W zależności od pozycji podłóż dodatkowe poduszki, by wzmocnić podparcie.

[6] Karmienie powinno zacząć się automatycznie. Kiedy dziecko się pożywia, porusza uszami. Powinnaś też słyszeć przełykanie.

[7] Aby przerwać połączenie, wsuń palec w usta dziecka i zabierz pierś. Jeśli matka chce zmienić piersi lub przystawienie nie było dobre, należy powtórzyć kroki od 1 do 6.

⚠ **RADA EKSPERTA**: *Nigdy nie dotykaj tyłu głowy dziecka podczas karmienia, ponieważ aktywuje to odruch cofania, który może wyrządzić szkodę piersi. Trzymaj dziecko za kark, pod uszami, by twoja dłoń stanowiła podporę dla szyi niemowlęcia.*

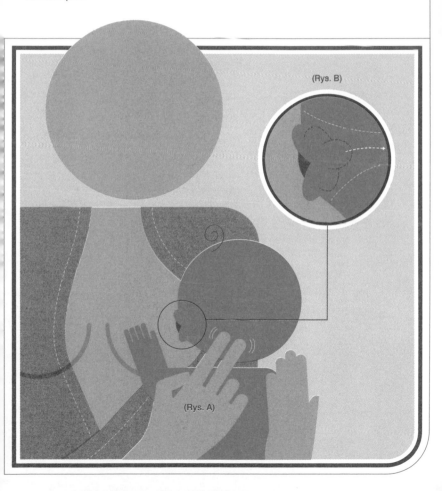

(Rys. B)

(Rys. A)

Zmiana piersi i właściwa częstotliwość karmienia

W idealnej sytuacji dziecko powinno być przystawiane po równi do obu piersi w ciągu dnia, ale ilość czasu spędzanego przy każdej z piersi będzie się wahać w zależności od modelu i w przypadku każdego karmienia. Na długość karmienia może wpływać wiele czynników (włącznie z szybkością wzrostu, częstotliwością i filozofią karmienia). Jednakże ogólnie zalecamy stosowanie się do następujących wytycznych.

⚠ *RADA EKSPERTA: Jeśli nie wytwarzasz wystarczającej ilości pokarmu dla dziecka, zwiększ częstotliwość karmienia. Im częściej piersi będą stymulowane, tym więcej mleka wyprodukują. Skonsultuj się z personelem serwisowym dziecka, zanim zastąpisz mleko naturalne modyfikowanym.*

[1] Zaczynaj każde karmienie od ostatniej piersi, którą podawałaś podczas poprzedniego karmienia. Oznaczaj ją, przytwierdzając do stanika spinacz lub agrafkę, albo notuj na kartce. To wyrówna produkcję mleka, ponieważ wiele modeli spędza więcej czasu przy pierwszej piersi, niż przy drugiej.

[2] Pozwól dziecku spędzić przy pierwszej piersi przynajmniej od 10 do 15 minut. Większość mleka powinna wypłynąć w tym czasie – zarówno pierwszej, jak i drugiej fazy. Niech dziecko poleży chwilę, zanim puści pierś.

[3] Pomóż dziecku odbić (patrz s. 94).

[4] Podaj drugą pierś i pozwól, by spędziło przy niej tyle czasu, ile chce.

[5] Pomóż dziecku odbić (patrz s. 94).

[6] Jeśli okaże się to konieczne, zainstaluj nową pieluszkę.

[7] Zanotuj, która pierś była używana ostatnia (patrz krok 1).

⚠ *RADA EKSPERTA: Często noworodki zasypiają podczas lub tuż po karmieniu pierwszą piersią. Aby obudzić dziecko i kontynuować karmienie, spróbuj zreinstalować pieluszkę albo gładź stopy lub plecy niemowlęcia.*

Karmienie butelką

To wygodna i łatwa technika stosowana przez wielu posiadaczy. Użytkownicy, którzy nie karmią piersią, mogą podawać mleko modyfikowane za pomocą tego pożytecznego urządzenia. Ci, którzy karmią piersią, mogą odciągać mleko, które następnie może zostać podane niemowlęciu przez kogoś innego. Zawsze wybieraj butelkę odporną na stłuczenia, najlepiej taką, która zwęża się przy smoczku. Chroni to przed zbieraniem się nadmiaru powietrza przy smoczku.

Czyszczenie butelek

Aby uniknąć zatrucia pokarmowego, przez okres pierwszych sześciu miesięcy sterylizuj codziennie przedmioty używane przy karmieniu. Kiedy minie pół roku, używaj codziennie mydła i wody i raz w tygodniu sterylizuj butelki. Sterylizuj wszystkie przedmioty, łącznie z butelkami, smoczkami, butelkami do przechowywania mleka i zakrętkami.

[1] Starannie umyj ręce mydłem i ciepłą wodą.

[2] Opróżnij i umyj wszystkie przedmioty stosowane przy karmieniu. Użyj mydła, ciepłej wody i szczotki. Wyczyść starannie każdy element i wypłucz.

[**3**] Umieść wszystkie elementy w dużym garnku wypełnionym wodą.

[**4**] Gotuj wodę i przedmioty przez co najmniej dziesięć minut. Zostaw garnek bez przykrycia, aby przedmioty się nie stopiły.

[**5**] Zdejmij garnek z ognia.

[**6**] Wyjmij elementy, osusz i pozostaw do wyschnięcia.

Karmienie dziecka mlekiem modyfikowanym

Mleko modyfikowane występuje pod różnymi markami i w różnych odmianach. Większość rodzajów mleka bazuje na mleku krowim, przetworzonym tak, by stworzyć mleko kompatybilne z dzieckiem. Istnieją też mleka modyfikowane oparte na mleku sojowym.

Wybór mleka modyfikowanego

Większość sprzedawanych rodzajów mleka występuje w poniższych postaciach. Wybierz tę, która najlepiej pasuje do twojego stylu życia.

($$$) Jednorazowe butelki: mleko już wymieszane i zapakowane w butelki 118 i 236 ml jest gotowe po podgrzaniu i dołączeniu wysterylizowanego smoczka. Jest to najwygodniejsza i najdroższa opcja.

($$) Mleko w płynie: Dostępne jest w puszkach. Nalewa się je do wysterylizowanej butelki i podgrzewa przed podaniem. Jest to opcja umiarkowanie wygodna i średnio kosztowna.

($) Proszek do przygotowania mleka: Dostępne w puszkach lub jednorazowych saszetkach mleko modyfikowane ma postać proszku lub koncentratu, który należy wymieszać z przegotowaną wodą. Proszek można odmierzyć i wsypać do pustej butelki, a następnie przechować aż do chwili, gdy doda się wody, przez co ta opcja jest wygodna w podróży, ale też wymaga więcej zaangażowania niż w przypadku poprzednich rozwiązań, choć jest też najbardziej przystępna cenowo.

Podgrzewanie mieszanek

Wymieszaj mleko z wodą. Nie przygotowuj porcji na zapas.

[**1**] Podgrzej w czystym rondlu niewielką ilość wody. Poczekaj, aż się zagotuje. Postępuj zgodnie z instrukcjami na opakowaniu mleka, aby określić, ile trzeba dolać wody. Niektórzy posiadacze używają sterylizowanej wody, którą można kupić w sklepach z artykułami dla dzieci. Nie trzeba jej gotować.

[**2**] Starannie umyj ręce.

[**3**] Poczekaj, aż woda ostygnie. Niech osiągnie temperaturę nieco wyższą niż temperatura ciała.

[**4**] Wlej potrzebną ilość wody do butelki.

[**5**] Dodaj mleka modyfikowanego.

[**6**] Nałóż smoczek.

[**7**] Potrząśnij butelką, aby wymieszać składniki. Przytrzymuj otwór w smoczku palcem (lub zakrętką). Potrząsaj, aż w płynie nie będzie grudek.

[8] Przetestuj temperaturę mleka. Kapnij kilka kropli na wnętrze nadgarstka. Mleko powinno mieć temperaturę ciała lub lekko niższą. Jeśli jest za ciepłe, włóż je do lodówki. Jeśli używasz sterylizowanej wody, włóż butelkę do garnka z ciepłą wodą, aby się zagrzała.

Przygotowanie mleka modyfikowanego poza domem

Jeśli karmisz niemowlę mlekiem modyfikowanym, zawsze trzymaj w torbie z pieluszkami butelkę i kilka saszetek z mlekiem. W większości restauracji i kawiarni otrzymasz ciepłą wodę.

[1] Poproś kelnera lub pracownika o kubek ciepłej wody.

[2] Wsyp do butelki mleko i dolej wody. Zatkaj butelkę i potrząsaj nią energicznie, zakrywając smoczek palcem. Upewnij się, że w mieszance lub w smoczku nie ma grudek.

[3] Dodaj kilka kawałków lodu lub dolej zimnej wody, aby ostudzić mleko.

[4] Przetestuj temperaturę mleka. Kapnij kilka kropli na wnętrze nadgarstka. Mleko powinno mieć temperaturę ciała lub lekko niższą. Jeśli jest za gorące, dodaj jeszcze kilka kawałków lodu.

[5] Podaj mleko dziecku (patrz s. 90).

Przechowywanie mleka naturalnego

[1] Ściągnij mleko, używając laktatora lub zrób to ręcznie, zlewając mleko do sterylnego pojemnika, na przykład butelki. Zaleca się, by posiadacze zgromadzili zapas pokarmu na jedno karmienie (od 60 do 120 ml) plus kilka karmień częściowych od 30 do 60 ml).

[2] Zamknij szczelnie pojemnik.

[3] Oznacz pojemnik metką z datą i godziną.

[4] Umieść pojemnik w lodówce lub włóż go do plastikowej torebki i zamknij w zamrażalniku. Mleko naturalne może być przechowywane w lodówce przez pięć dni. W ciągu tych pięciu dni w każdej chwili można je zamrozić. Czas przechowywania mleka w zamrażarce wynosi dwa do czterech miesięcy.

⚠ *UWAGA: Mleko naturalne po rozmrożeniu powinno być zużyte w ciągu 24 godzin. Niezużyte mleko należy wyrzucić.*

Podgrzewanie mleka naturalnego

[1] Jeśli mleko było przechowywane w zamrażarce, rozmroź je, umieszczając pojemnik pod ciepłą lub gorącą wodą, albo wstaw do rozmrożenia w lodówce. Następnie przelej płyn do butelki.

[2] Umieść butelkę w misce z ciepłą wodą, aż płyn stanie się letni.

⚠ *UWAGA: Nie używaj mikrofalówki do podgrzewania naturalnego mleka. Mikrofalówki podgrzewają płyny nierównomiernie i eliminują cenne enzymy z mleka naturalnego.*

[3] Nałóż smoczek na butelkę.

[4] Delikatnie przeturlaj butelkę w przód i w tył. Tym sposobem z powrotem zmieszasz tłuszcz z płynem, ponieważ czasami wyodrębnia się on podczas podgrzewania. Nie potrząsaj butelką.

[5] Przetestuj temperaturę mleka. Kapnij kilka kropli na wnętrze nadgarstka. Mleko powinno mieć temperaturę ciała lub lekko niższą. Jeśli jest za ciepłe, ostudź je w lodówce.

[6] Podaj mleko bobasowi (patrz niżej). Wylej niezużyte mleko.

Karmienie niemowlęcia butelką

Dziecko można karmić butelką wszędzie i o każdej porze. Posiadacz może usiąść wygodnie, ale może też stać. Zawsze trzymaj dziecko pionowo. W pozycji leżącej wzrasta ryzyko zakrztuszenia lub złapania infekcji uszu.

[1] Tuż przed karmieniem wsuń smoczek pod strumień ciepłej wody, aby ogrzać go do temperatury ciała (Rys. A).

[2] Umieść dziecko w pozycji „na fasolkę" (patrz s. 78). Pilnuj, by głowa dziecka znalazła się nieco powyżej ciała (Rys. B).

[3] Aktywuj odruch ssania niemowlęcia. Pogłaszcz palcem policzek. Dziecko powinno obrócić się w kierunku bodźca z otwartym aparatem ustnym, gotowym na przyjęcie pożywienia (Rys. C).

[4] Umieść smoczek w ustach dziecka. Celuj tak, by smoczek oparł się o podniebienie niemowlęcia. Usta dziecka powinny wyciągnąć się w dzióbek, a nie zawijać (Rys. D).

⚠ *RADA EKSPERTA: Próbuj wsunąć smoczek pod każdą wargę osobno. Delikatnie popchnij górną wargę do góry, wkładając smoczek. Później pociągnij w dół ku dolnej wardze, aby dziecko umieściło wygodnie smoczek w ustach.*

[5] Trzymaj butelkę dnem do góry. Mleko naturalne lub modyfikowane powinno całkowicie wypełniać wybrzuszenie butelki. Nigdy nie puszczaj butelki, by dziecko samo się karmiło, gdyż może to prowadzić do zranienia lub usterek.

⚠ *UWAGA: Unikaj wpuszczania pęcherzyków powietrza do wybrzuszenia smoczka, gdyż może to wywołać u dziecka gazy i spowodować zdenerwowanie.*

[6] Zabierz butelkę po pięciu-ośmiu minutach. Niemowlę powinno zjeść około sześćdziesięciu do osiemdziesięciu gram (Rys. E).

[7] Pomóż dziecku odbić (patrz s. 94) (Rys. F).

[8] Wróć do karmienia, dopóki dziecko nie zje około 100 ml lub będzie dawać oznaki najedzenia (Rys. G).

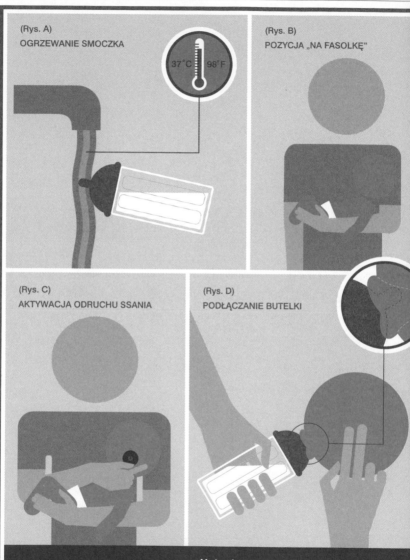

(Rys. A)
OGRZEWANIE SMOCZKA

37°C   98°F

(Rys. B)
POZYCJA „NA FASOLKĘ"

(Rys. C)
AKTYWACJA ODRUCHU SSANIA

(Rys. D)
PODŁĄCZANIE BUTELKI

KARMIENIE BUTELKĄ: Można je przeprowadzić w każdym miejscu o dowolnej godzinie.

(Rys. E)
KARMIENIE

(Rys. F)
UWOLNIENIE NADCIŚNIENIA

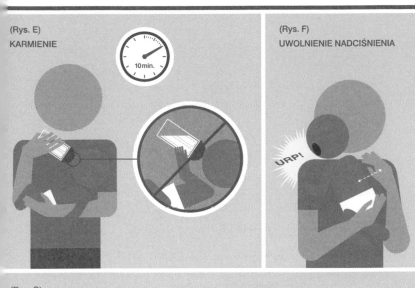

(Rys. G)
ZAKOŃCZENIE PROCEDURY KARMIENIA

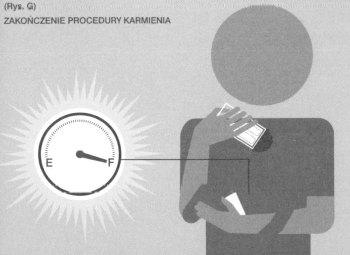

UWAGA: trzymaj butelkę dnem do góry.
Pozycja leżąca może prowadzić do zakrztuszenia lub infekcji sensorów dźwiękowych.

Odbijanie

Przy każdym posiłku dziecko połyka powietrze, które może spowodować fałszywe uczucie wypełnienia, gazy lub chęć zwracania pożywienia. Posiadacz może zapobiec tym konsekwencjom, regularnie odbijając dziecko. Przez pierwsze miesiące działania modelu należy odbijać dziecko w trakcie i po zakończeniu posiłku. Po około czterech miesiącach od czasu do czasu odbijaj dziecko w trakcie posiłków, zwłaszcza gdy z butelki ubyło już 60 lub 90 gram lub gdy zmieniasz piersi.

RADA EKSPERTA: Niektóre dzieci mogą nie chcieć jeść, jeśli się im przerwało. Jeśli twój model ma takie trudności, czekaj z odbijaniem do końca karmienia.

Do odbijania stosuj poniższe techniki.

Bek naramienny (Rys. A)

[1] Przerzuć przez ramię ściereczkę lub ręcznik.

[2] Przytrzymaj dziecko na ramieniu (patrz s. 43).

[3] Potrzyj plecy dziecka. Rób dłonią kółeczka przy łopatkach. Jeśli to nie uaktywni procesu odbekiwania, przejdź do następnego kroku.

[4] Delikatnie poklepuj plecy dziecka, od pośladków do łopatek.

[5] Przez pięć minut powtarzaj krok 3 i 4. Jeśli i tym razem dziecku się nie odbije, karm je dalej (lub wytrzyj). Dziecko powinno normalnie funkcjonować.

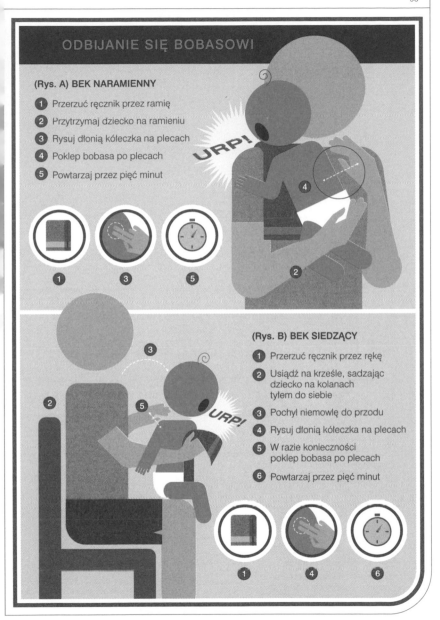

ODBIJANIE SIĘ BOBASOWI

(Rys. A) BEK NARAMIENNY

1. Przerzuć ręcznik przez ramię
2. Przytrzymaj dziecko na ramieniu
3. Rysuj dłonią kółeczka na plecach
4. Poklep bobasa po plecach
5. Powtarzaj przez pięć minut

URP!

(Rys. B) BEK SIEDZĄCY

1. Przerzuć ręcznik przez rękę
2. Usiądź na krześle, sadzając dziecko na kolanach tyłem do siebie
3. Pochyl niemowlę do przodu
4. Rysuj dłonią kółeczka na plecach
5. W razie konieczności poklep bobasa po plecach
6. Powtarzaj przez pięć minut

URP!

Bek siedzący (Rys. B)

[1] Przerzuć przez rękę ściereczkę lub ręcznik i usiądź na krześle.

[2] Posadź dziecko na kolanach tyłem do siebie. Połóż wolną rękę na jego plecach. Umieść rękę ze ściereczką na jego piersi, podtrzymując palcami głowę i szyję bobasa. Pochyl dziecko do przodu.

[3] Potrzyj plecy niemowlaka. Rób dłonią kółeczka przy łopatkach. Jeśli to nie uaktywni procesu odbekiwania, przejdź do następnego kroku.

[4] Delikatnie poklepuj plecy dziecka, od pośladków do łopatek.

[5] Przez pięć minut powtarzaj krok 3 i 4. Jeśli i tym razem bobasowi się nie odbije, karm go dalej (lub wytrzyj). Dziecko powinno normalnie funkcjonować.

Eliminowanie karmień nocnych

Dziecko będzie domagać się karmień w nocy do czasu, gdy osiągnie wiek dziewięciu-dwunastu miesięcy. Pod koniec pierwszego roku będą one raczej wynikiem przyzwyczajenia niż fizycznej konieczności.

[1] Zmniejszaj pomału ilość jedzenia przeznaczoną na nocne karmienie. Jeśli karmisz butelką, przygotuj 207 ml pierwszej nocy, 177 ml drugiej i tak dalej. Jeśli karmisz piersią, zmniejszaj każdej nocy czas karmienia o minutę.

[2] Obserwuj dzienne zwyczaje dziecka. Większość modeli będzie starała się nadrobić stracone pożywienie, jedząc więcej po przebudzeniu. W końcu bobas przestanie wymagać nocnego karmienia.

Pierwsze podanie pożywienia stałego

Kiedy dziecko siedzi już samodzielnie i żuje lub gryzie przedmioty, a ponadto podwoiło wagę urodzeniową, może już jeść pożywienie stałe. Zwykle występuje to między czwartym a szóstym miesiącem. Przed podaniem pożywienia stałego skontaktuj się z personelem serwisowym bobasa.

Sprzęt niezbędny przy karmieniu pożywieniem stałym

Przejście z mleka naturalnego lub modyfikowanego na pożywienie stałe wymaga posiadania poniższego wyposażenia.

Małe łyżeczki dla dzieci: Łyżeczki są wykonane z plastiku odpornego na zniszczenia. Są na tyle małe, by być kompatybilne z niewielkim portem ustnym dziecka, i na tyle miękkie, by nie uszkodzić dziąseł bobasa. Dwie lub trzy łyżeczki w zupełności ci wystarczą.

Miseczki: Miseczki produkowane specjalnie dla dzieci są wykonane z odpornego na zniszczenia plastiku i mieszczą w sobie niewielką ilość jedzenia.

Śliniaczki: Niewielkie skrawki materiału można zawiązywać wokół szyi dziecka, by zminimalizować ilość wyplutego lub rozsmarowanego pożywienia, które spada na ubranie bobasa. Można je kupić w sklepach dla dzieci.

Krzesełko: Ten przedmiot ograniczy ruchliwość dziecka podczas karmienia. W sprzedaży znajduje się wiele rodzajów krzesełek. Większość z nich wyposażona jest w tacę, na której można ustawić jedzenie. Wybierz krzesełko o mocnej konstrukcji.

⚠️ *UWAGA: Nie karm niemowlęcia w krzesełku, dopóki nie umie samodzielnie siedzieć. Nigdy nie pozostawiaj bobasa w krzesełku bez opieki.*

Karmienie dziecka pożywieniem stałym

Idealne pierwsze pożywienie stałe to kaszka ryżowa, specjalna kaszka błyskawiczna przeznaczona wyłącznie dla dzieci. Pierwsze posiłki złożone z pożywienia stałego powinny być raczej ćwiczeniami w karmieniu i nie zaliczają się do dziennej liczby posiłków. Podawaj dziecku jeden posiłek ze stałym pożywieniem dziennie, ale kontynuuj normalne karmienie piersią lub mlekiem modyfikowanym.

[1] Przygotuj kaszkę. Zmieszaj w miseczce lub kubku łyżkę stołową (15 ml) kaszki z trzema łyżkami stołowymi (45 ml) mleka naturalnego, wody lub przygotowanego mleka modyfikowanego. Mieszaj, aż w kaszce nie będzie grudek. Jedzenie powinno mieć konsystencję płynu. Można je podawać na zimno lub ciepło.

[2] Posadź niemowlę na kolanach lub w krzesełku.

[3] Nałóż bobasowi śliniaczek.

[4] Nabierz pół łyżeczki kaszki i włóż w usta niemowlęcia. Dziecko może wypchnąć ją językiem. Jest to normalne zachowanie, ponieważ wszystkie modele ruszają językiem w przód i w tył w trakcie jedzenia. Z biegiem czasu dziecko nauczy się, jak zatrzymywać jedzenie w ustach i je przełykać.

[5] Powtórz krok 4 z nową łyżeczką kaszki lub z jedzeniem wypchniętym w ust dziecka, aż kaszka zostanie zjedzona lub dziecko zacznie dawać znaki, że już się najadło.

KARMIENIE DZIECKA POŻYWIENIEM STAŁYM

1. Wymieszaj kaszkę
2. Posadź dziecko w krzesełku
3. Zawiąż śliniaczek
4. Włóż łyżeczkę w usta niemowlęcia
5. Bobas może wypchnąć jedzenie językiem
6. Podpowiedź: udawaj, że łyżeczka to samolot
7. Karmienie to proces silnie brudzący

[**1** łyżka] + [**3** łyżki] =

Junior

PRZYGOTOWANIE NIEMOWLĘCIA DO SAMODZIELNEGO KARMIENIA

1. Podłóż matę pod krzesełko
2. Zawiąż śliniaczek
3. Przygotuj trzy rodzaje jedzenia
4. Przygotuj nakrycia dla dziecka
5. Pozwól dziecku eksperymentować
6. Dawaj przykład
7. Chwal
8. Karmienie to proces silnie brudzący

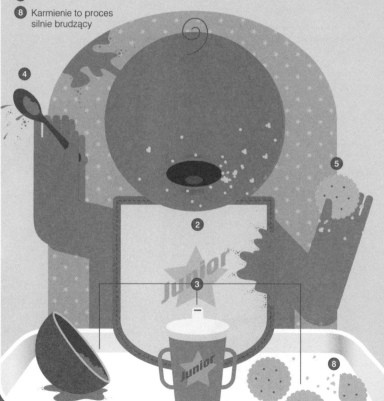

[6] Cierpliwości. Dziecko uczy się nowej skomplikowanej umiejętności, która bardzo różni się od ssania. Skonsultuj się z personelem serwisowym dziecka w kwestii najlepszego terminu na zapoznanie bobasa z przetartymi owocami i warzywami, zarówno świeżymi, jak i ze słoika oraz jakimkolwiek innym pożywieniem w kawałkach.

Przygotowanie niemowlęcia do samodzielnego karmienia

Dziecko dostarczane jest z zainstalowaną już umiejętnością chwytania, która umożliwia automatyczne przyjmowanie pokarmu. Funkcja chwytania doskonali się przez przynajmniej dwanaście miesięcy, zanim zacznie w pełni działać. Przeprowadzaj ćwiczenia w samodzielnym karmieniu, aby przygotować dziecko do niezależności.

[1] Umieść zmywalną matę pod krzesełkiem dziecka.

[2] Zawiąż śliniaczek wokół szyi niemowlęcia. Śliniaczek powinien spoczywać na jego klatce piersiowej.

⚠ *RADA EKSPERTA: Niektórzy użytkownicy rozbierają dziecko przed karmieniem i nie wiążą śliniaka. Bobas jest myty po posiłku.*

[3] Ustaw przed dzieckiem trzy rodzaje pożywienia. Zbyt duży wybór może zdezorientować dziecko. Wybierz jedzenie, które można zjeść, wkładając je w całości do ust: płatki, małe ciasteczka i tym podobne – albo pokrój drobno większe kawałki. Jeśli jedzenie różni się wyglądem i smakiem, umożliwisz bobasowi odkrycie jego własnych preferencji.

[4] Przygotuj nakrycia dla dziecka. Bobas początkowo nie będzie umiał ich używać, ale zaznajomi się z nimi, co później może się okazać dla niego korzystne.

[**5**] Pozwól dziecku eksperymentować z jedzeniem. Niech sięga po pożywienie i próbuje je wziąć. Może nie zdawać sobie sprawy z tego, że kąski powinny znaleźć się w jego ustach, ale większość modeli w końcu smakuje wszystkie przedmioty, które się przed nim położy.

[**6**] Daj przykład. Pokaż dziecku, jak się je. Podnoś kawałki jedzenia, wkładaj do ust, żuj i przełykaj.

[**7**] Cierpliwości! Nie denerwuj się, jeśli dziecko robi niewielkie postępy, ponieważ nauka jedzenia jest procesem powolnym.

[**8**] Chwal dziecko. Klaskaj i wiwatuj, gdy dziecko podniesie kawałek jedzenia i włoży go do ust. Bobas może zrobić to jeszcze raz, aby wywołać twój entuzjazm.

⚠️ *UWAGA: Nigdy nie zmuszaj dziecka do jedzenia. Jeśli podajesz mu pożywienie, a ono odmawia, spróbuj za kilka minut. Wmuszanie jedzenia może sprawić, że bobas zacznie kojarzyć je z czymś negatywnym.*

💡 *RADA EKSPERTA: Niezbędnym przedmiotem w przypadku każdego nowego posiadacza jest kubek niekapek. Taki kubek wyposażony jest w pokrywkę i ustnik, z którego płyn wydostaje się tylko dzięki ssaniu, tak więc zawartość nie wypływa z upuszczonego naczynia. Większość modeli nie będzie piła z kubka niekapka przed ukończeniem około pierwszego roku życia. Niektóre modele są po prostu niekompatybilne z takimi kubeczkami. Użycie niekapków oszczędzi użytkownikom bobasów zmartwień i sprzątania. W celu wprowadzenia kubka do użytku, zastosuj się do instrukcji producenta.*

Sześć pokarmów, których należy unikać

Choć dziecko je coraz więcej pożywienia stałego, należy unikać podawania mu następujących substancji, które mogą wywołać potencjalnie groźną reakcję alergiczną:

Miód: Słodka substancja może spowodować rozwój toksyn w jelitach dziecka. Nie podawaj bobasowi miodu, dopóki nie skończy dwóch lat.

Orzeszki ziemne i produkty z orzeszkami: Orzeszki ziemne i produkty, które zawierają orzeszki, z masłem orzechowym i olejem arachidowym włącznie, mogą wywołać silną reakcję alergiczną. Nie podawaj dziecku tych produktów, dopóki nie ukończy trzech lat.

Owoce cytrusowe i soki z tych owoców: Kwas w cytrusach jest za silny dla delikatnego systemu trawiennego dziecka. Niektóre modele mogą mieć reakcje alergiczne lub bóle brzucha. Omów z personelem serwisowym dziecka odpowiedni czas na wprowadzenie cytrusów do diety.

Kofeina: Substancje zawierające kofeinę lub podobne związki, takie jak czekolada, herbata, kawa lub napoje gazowane będą zakłócać przyswajanie wapnia u dziecka.

Białka jajek: Dziecku może być trudno je strawić. Unikaj białek jajka, dopóki nie pozwoli na ich konsumpcję personel serwisowy.

Mleko krowie: Tłuste krowie mleko może wywołać u dziecka reakcje alergiczną. Trzymaj bobasa z dala od niego, dopóki nie ukończy przynajmniej roku.

Przestawianie dziecka na inny pokarm

Przestawianie jest procesem, w wyniku którego dziecko zmienia trwale sposób żywienia z karmienia piersią na karmienie butelką lub picie z kubka. Nie rozpoczynaj tego procesu w ciągu pierwszych miesięcy życia, podczas których według personelu serwisowego dziecko powinno pić mleko naturalne. Kiedy posiadacz lub jego bobas jest już gotowy na przejście na inne pożywienie, powinno się postępować jak niżej.

[1] W porze karmień podawaj kubek lub butelkę z mlekiem naturalnym lub modyfikowanym jako alternatywne źródło pożywienia.

[2] Jeśli dziecko ma trudności z przejściem na nowe źródło pożywienia, spróbuj karmienia w nowym miejscu, zmień światło lub muzykę. Stwórz inny nastrój dla odmiennego pożywienia.

[3] Stopniowo zmniejszaj liczbę karmień piersią. Co dwa tygodnie eliminuj jedno karmienie piersią z rozkładu dnia, zastępując je butelką lub pożywieniem stałym. Skonsultuj się z personelem serwisowym dziecka, by upewnić się, że dziecko otrzymuje wystarczającą ilość składników odżywczych.

[4] Kiedy już karmisz piersią tylko raz dziennie, rób to przed pójściem spać.

[5] Co wieczór skracaj czas karmienia piersią.

RADA EKSPERTA: *Dziecko może samo próbować przestawiać się na inne pożywienia. Wiele modeli automatycznie wyczuwa odpowiednią do tego porę. Zwykle dzieje się to po około dziewięciu miesiącach. Jeśli dziecko sygnalizuje tę chęć przed dziewiątym miesiącem, upewnij się, że jakiś problem nie zakłóca mu procesu jedzenia. Może okazać się, że dziecko rozprasza się lub jest mu niewygodnie, a nie dlatego, że już chce innego jedzenia. Skonsultuj się z personelem serwisowym dziecka, by wykluczyć powody zdrowotne. Wiele modeli odmawia karmienia piersią po upływie sześciu miesięcy, ale często jest to tylko tymczasowy strajk, bo po kilku dniach dziecko wraca do normalnego jedzenia.*

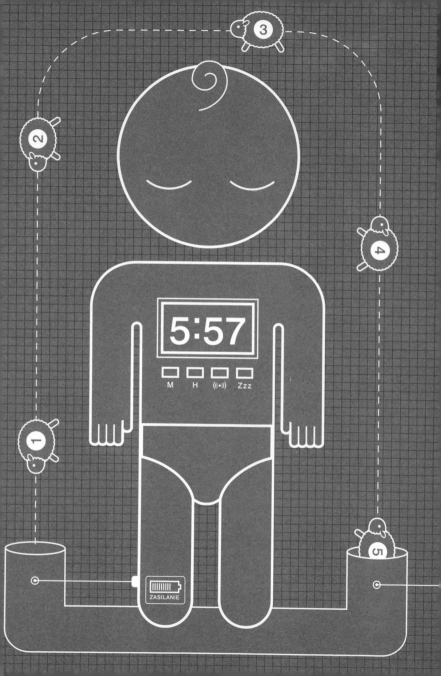

Rozdział 4

Programowanie trybu snu

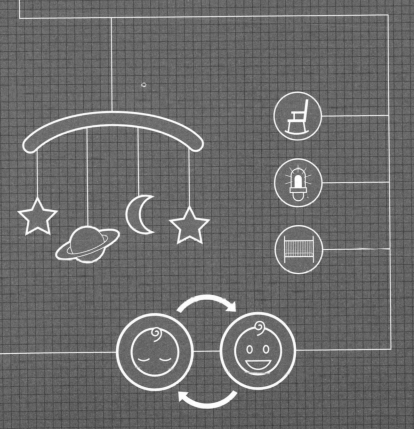

Konfiguracja miejsca do spania

Miejsce do spania jest najważniejszą częścią pokoju dziecka i dlatego wymaga starannej konfiguracji. Niektórzy posiadacze konfigurują swoje sypialnie, by służyły bobasowi do spania.

Zawsze układaj bobasa na plecach, gdy zasypia. Badania wykazały, że ta pozycja znacząco przyczynia się do zmniejszenia ryzyka wystąpienia syndromu nagłej śmierci noworodków (patrz s. 215). Po mniej więcej czterech miesiącach dziecko w naturalny sposób zacznie spać na boku lub na brzuchu.

⚠ *UWAGA: Kiedy dziecko wchodzi w tryb snu, usuń z łóżka wszystkie pieluszki, ciężkie koce i pluszowe zwierzątka. Jeśli bobas będzie spał na tych przedmiotach lub pod nimi, mogą one zakłócić dopływ tlenu, a w rezultacie spowodować ciężkie usterki.*

Kołyska (Rys. A)

Kołyska jest to przenośne łóżeczko, zaprojektowane dla dzieci w pierwszych miesiącach po dostawie. Kołyski można nabyć w sklepach z artykułami dziecięcymi lub skonstruować na bazie miękkiej podkładki i solidnej szuflady wyjętej z komody. Wielu użytkowników ceni sobie kołyskę ze względu na łatwość jej przenoszenia. Dziecko i kołyska znajdują się na wyciągnięcie ręki, dzięki czemu karmienie nocne staje się wygodne dla posiadacza.

Idealna kołyska ma twardy, dopasowany do ramy materac, który dzieli od boków kołyski nie więcej niż 2,5 cm przestrzeni. Szukaj solidnej konstrukcji i mocnego stojaka, które wytrzymają przypadkowe zderzenie użytkownika z meblem.

Łóżeczko (Rys. B)

Dobre łóżeczko powinno służyć bobasowi do czasu, aż osiągnie wiek, w którym będzie mógł spać w normalnym łóżku. Zgodnie z obecnymi przepisami, idealne łóżeczko jest wyposażone w szczebelki rozstawione nie rzadziej niż co 6 cm. Reling powinien znajdować się na wysokości przynajmniej 23 cm przy maksymalnym obniżeniu i 66 cm przy maksymalnym podniesieniu, liczonej od najniższego punktu materaca. Pomiędzy materacem a bokami łóżka nie powinno być więcej niż 2,5 cm wolnej przestrzeni. Sprawdź, czy twoje łóżeczko spełnia te i nowsze zalecenia, zwłaszcza jeśli zostało odziedziczone po poprzednich pokoleniach.

Aby uchronić dziecko przed obijaniem głowy o szczebelki montuje się na nich osłonki. Jeśli je zamontujesz, troczki powinny być krótkie, mocno związane i znajdować się na zewnątrz łóżeczka.

⚠ *UWAGA: Gdy dziecko nabierze mobilności (zwykle około siódmego do dziewiątego miesiąca), usuń osłonki, ponieważ mogą stanowić podparcie dla stóp, jeśli dziecko spróbuje wyjść z łóżeczka.*

Twoje łóżko (Rys. C)

Wielu posiadaczy śpi ze swoimi bobasami we własnych łóżkach. Można to zaakceptować, jeśli masz twardy materac. Miękkie materace były wskazywane jako przyczyna syndromu nagłej śmierci noworodków (patrz s. 215). Zanim położysz dziecko w swoim łóżku, usuń wszelkie poduszki, ciężkie koce i duże kołdry. Przykryj dziecko lekką kołderką. Najbezpieczniejsza konfiguracja przewiduje ułożenie dziecka między dwojgiem rodziców, którzy spełniają funkcję szczebelków ochronnych. Duża poduszka nie może być traktowana jako substytut drugiego rodzica. Z łóżka należy usuwać takie przedmioty.

⚠ *UWAGA: Nie pozwól, by dziecko usnęło na poduszce. Może to zakłócić pobór tlenu i spowodować poważne uszkodzenia.*

(Rys. A)
SPECYFIKACJA KOŁYSKI

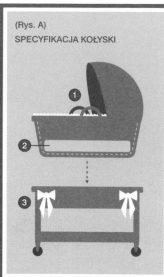

1. **KOŁYSKA**

2. Twardy materac, który dzieli od ściany kołyski najwyżej 2,5 cm wolnej przestrzeni

3. Solidny stojak, który wytrzyma przypadkowe uder

4. **ŁÓŻECZKO**

5. Górny reling spełniający wymagania wysokości

6. Szczebelki rozstawione nie rzadziej niż co 6 cm

7. Twardy materac, który dzieli od ściany kołyski najwyżej 2,5 cm wolnej przestrzeni

8. **ŁÓŻKO**

9. Posiadacze służą za ochronne zagródki

10. Lekka kołderka

11. Przy modelu nie może znaleźć się poduszka lub ci

(Rys. B)
SPECYFIKACJA ŁÓŻECZKA

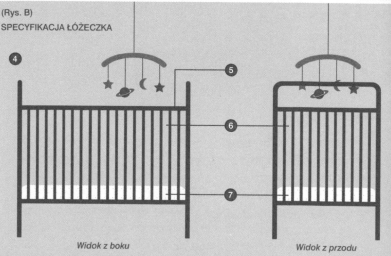

Widok z boku

Widok z przodu

KONFIGURACJA MIEJSCA SNU: Niezależnie od tego, gdzie śpi dzieck

Jak zrozumieć tryb snu

Noworodki nie posiadają wbudowanego zegara, który pozwoli rozróżnić im dzień i noc. Ze względu na niemal nieustającą konieczność jedzenia, większość modeli będzie spać w dwu- lub trzygodzinnych interwałach, często uniemożliwiając posiadaczowi wyspanie się.

Powyższa cecha nie jest spowodowana wadami producenta. Dzięki umiejętnej obsłudze można pokonać te trudności. Należy przyjąć jako ogólną zasadę, iż noworodki każdego dnia potrzebują przynajmniej 16 godzin snu, ale ta liczba zmienia się znacząco w zależności od rodzaju modelu. Harmonogram snu dziecka może ulec zmianie pod wpływem głodu, szybkości wzrostu i zakłóceń ze strony środowiska (telewizja, burze elektryczne itd.).

Od drugiego do szóstego miesiąca życia dziecko będzie potrzebować mniej snu niż w pierwszym miesiącu. Pod koniec trzeciego miesiąca niektóre modele prześpią sześć godzin bez przerwy, czasem nawet w nocy. Inne modele nie zaczną przesypiać dłuższych okresów podczas nocy aż do ukończenia pierwszego roku. Umiejętność przesypiania dłuższego czasu może zależeć od tego, gdzie dziecko śpi i jakiej metody używasz, by uśpić bobasa. W tym okresie życia wszystkie modele wymagają łącznie od 14 do 15 godzin snu dziennie.

Od siódmego do dwunastego miesiąca dziecko powinno przesypiać większość nocy bez przerw. Ewolucja postępuje: dziecko wymaga mniejszej częstotliwości karmień, a jego cykle snu dojrzewają. Tak jak w przypadku stadium rozwoju od drugiego do szóstego miesiąca, długość cyklu snu dziecka może być uzależniona od tego, gdzie dziecko śpi i w jaki sposób je usypiasz. Dziecko wciąż będzie potrzebować 13 do 15 godzin snu dziennie.

Rozumienie cyklów snu

Podczas pierwszych miesięcy życia dziecka cykle snu powielają pewien wzór. Najpierw dziecko przechodzi fazę REM (szybkie poruszenia gałek ocznych), a potem fazę NREM. Po kilku miesiącach system ulega odwróceniu. Wówczas NREM poprzedza fazę REM. Zapoznaj się z tymi cyklami, by zrozumieć wzór snu dziecka.

Sen REM: Kiedy dziecko wchodzi w tryb snu, zaczyna od fazy REM. To faza bardzo lekkiego snu. Ręce, twarz i stopy dziecka mogą się poruszać. Bobas może wydawać się zdumiony. Wszystko to świadczy, że jego tryb snu działa prawidłowo.

Faza snu NREM: Ten wzór snu ma trzy odrębne cykle.

■ Sen lekki: oczy nie poruszają się, kończyny dziecka przy podnoszeniu są lekkie.

■ Sen głęboki: jego oznakami jest głęboki, powolny oddech i „cięższe" ciało i kończyny. Dziecko powinno być prawie zupełnie rozluźnione.

■ Bardzo głęboki sen: oznaki to bardzo „ciężkie" ciało i kończyny. Dziecko nie reaguje na próby obudzenia.

Zaawansowana aplikacja: Test cyklu snu

Jeśli ukołyszesz dziecko do snu i chcesz określić, czy można je położyć do łóżeczka bez obudzenia, postępuj zgodnie z poniższymi wskazówkami.

[1] Weź rękę dziecka między kciuk i palec wskazujący.

[2] Delikatnie unieś ją na kilka centymetrów.

[3] Puść.

Jeśli ręka dziecka opadnie u jego boku, a bobas się nie poruszy, zaktywowano tryb głębokiego lub bardzo głębokiego snu. Wówczas można odłożyć dziecko do łóżeczka bez obudzenia. Jeśli dziecko się poruszy, zaktywowano fazę REM lub lekkiego snu i obudzi je każdy ruch.

Używanie tabeli snu

Tabele snu mogą być stosowane w celu śledzenia zmian i przeprogramowania harmonogramu snu dziecka. Przykładowa tabela na sąsiedniej stronie ukazuje typowy jednotygodniowy wykres snu. Zaleca się wykonanie kopii pustej tabeli zamieszczonej w załączniku (patrz s. 219) w celu śledzenia zwyczajów dziecka podczas pierwszych miesięcy życia.

[1] Kiedy dziecko wchodzi w tryb snu, zaznacz czas jego rozpoczęcia. Zaleca się, by posiadacz również wykorzystał ten czas na sen.

[2] Kiedy dziecko kończy tryb snu, należy zaznaczyć koniec w tabeli.

[3] Wypełnij przestrzeń między dwoma liniami ołówkiem lub długopisem.

Tabela pozwala prześledzić zwyczaje dziecka przez okres jednego tygodnia. Użyj kilku tabel, by prześledzić zwyczaje przez kilka miesięcy. Zauważ, czy dziecko wchodzi w tryb snu o tej samej porze (lub prawie tej samej) każdego dna. Jeśli czas snu dziecka różni się od zwyczajów z poprzednich dni, zapisz jakiekolwiek niezwyczajne okoliczności.

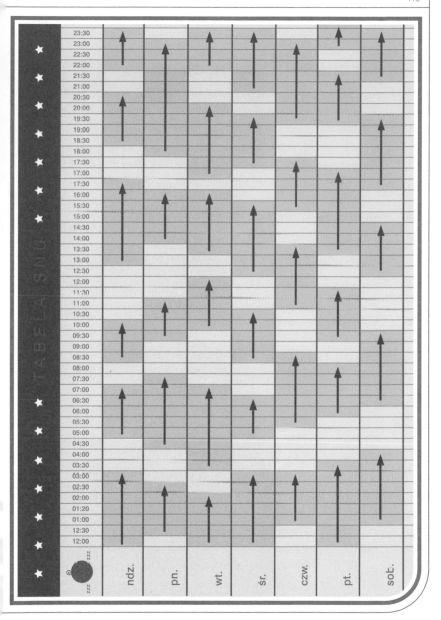

Aktywacja trybu snu

Bobas może zostać dostarczony z wbudowanymi sygnałami, wskazującymi na tryb gotowości do wejścia w tryb snu. Zaliczamy do nich przecieranie oczu lub ciągnięcie się za uszy. Jeśli dostrzeżesz te znaki, działaj szybko, by zaktywować tryb snu. Jeśli tego nie zrobisz, dziecko może ulec przestymulowaniu (patrz s. 123), a tryb snu może ulec odroczeniu na bliżej nieokreślony czas.

Poniżej znajdziesz dwie techniki aktywacji trybu snu: metodę bezpłaczową (lub niskopłaczową) oraz metodę płaczową.

Metoda bezpłaczowa (lub niskopłaczowa)

Metoda bezpłaczowa polega na nieustającym stymulowaniu bobasa w ciągu dnia i zmniejszaniu aktywności w nocy. Wymaga też większego wysiłku niż którakolwiek z metod płaczowych.

[1] Staraj się stymulować dziecko w ciągu dnia. Nieustająco noś je w nosidełku. Baw się z bobasem, śpiewaj i tańcz.

[2] Ustal warunkowe okresy snu i trzymaj się harmonogramu.

[3] Zrelaksuj dziecko przed pójściem spać. Nakarm je, wykąp, kołysz lub czytaj mu.

[4] Warunkuj dziecko na sen, stosując którąś z poniższych technik.
■ Karm je, aż uśnie. Pozwalając dziecku zasnąć po posiłku, sprawiasz, że zacznie kojarzyć karmienie jako wstęp przed spaniem.
■ Niech użytkownik nie karmiący piersią położy bobasa spać. Umiejętność wyczuwania mleka przez dziecko może sprawić, że zacznie ono spodziewać się karmienia, a nie spania.

- Przytulaj niemowlę i kołysz je, aż zaśnie. Dziecko może czuć się bezpieczniejsze w twoich ramionach, niż położne samotnie w łóżeczku.

[5] Użyj którejś z poniższych technik, by dziecko spało w nocy.

- Idź do niemowlaka przy pierwszym sygnale przebudzenia. Twoja obecność może być na tyle uspokajająca, że bobas z powrotem zaśnie.

- Owiń dziecko w becik (patrz s. 50). Dodatkowe poczucie bezpieczeństwa może pomóc mu z powrotem pogrążyć się we śnie.

- Umieść dziecko w mechanicznej kołysce. Regularny rytm może pomóc mu w zaśnięciu.

- Zmień pozycję dziecka. Może jest mu niewygodnie? Nowa pozycja może pozwolić mu z powrotem usnąć.

- Trzymaj dłoń na dziecku, aż zaśnie. Dzięki temu zapewniasz mu dodatkowe ciepło i poczucie bezpieczeństwa.

- Karm dziecko, aż zaśnie. Mleko i akt karmienia może wpłynąć odprężająco na dziecko, przygotowując je do zaśnięcia.

Metoda płaczowa (odmiana A)

Ta odmiana pozwala na wykazanie się nieco większą aktywnością rodzicielską w nocy. Zacznij ten proces nie wcześniej niż po ukończeniu czwartego lub piątego miesiąca życia dziecka. Upewnij się, że pieluszka dziecka jest sucha, niemowlę nie jest głodne i nic mu nie dolega.

[1] Opracuj uspokajającą technikę usypiania, aby dać znak dziecku o zbliżającej się porze zasypiania. Może ona polegać na kąpaniu, opowiadaniu bajek albo śpiewaniu.

[2] Przynieś dziecko do pokoju dziecięcego i połóż je w łóżeczku.

[3] Otul je kocykiem i powiedz „Dobranoc".

[4] Włącz lampkę nocną i zgaś główne światło.

[5] Wyjdź z pokoju i zamknij drzwi. Jeśli dziecko płacze, odczekaj pięć minut, zanim wrócisz. Wiele modeli ukołysze się do snu w ciągu tego czasu. Jeśli twój bobas tak nie zrobi, przejdź do następnego kroku.

[6] Wróć do pokoju. Nie podnoś dziecka. Nie karm go. Pociesz je słownie. Wyjdź po minucie.

[7] Powtarzaj krok 5 i 6, ale za każdym razem dodaj pięć minut do czasu czekania przed wejściem. W końcu dziecko samo uśnie.

[8] Następnej nocy odczekaj za pierwszym razem dziesięć minut, zanim wrócisz do pokoju dziecka. Kolejnej nocy zaczekaj najpierw piętnaście minut. Kontynuuj dodawanie pięciu minut do początkowego czasu czekania. W ciągu trzech do siedmiu dni dziecko nauczy się samodzielnego aktywowania trybu snu.

Metoda płaczowa (odmiana B)

Ta metoda uczy dziecko samodzielnego aktywowania trybu snu. Zacznij ją wdrażać nie wcześniej niż po ukończeniu czwartego miesiąca przez dziecko. Upewnij się, że pieluszka dziecka jest sucha, niemowlę nie jest głodne i nic mu nie dolega.

[1] Opracuj uspokajającą technikę usypiania, aby dać znak dziecku o zbliżającej się porze zasypiania. Może ona polegać na kąpaniu, opowiadaniu bajek albo śpiewaniu.

[2] Przynieś dziecko do pokoju dziecięcego i połóż je w łóżeczku.

[3] Otul je kocykiem i powiedz „Dobranoc".

[4] Włącz lampkę nocną i zgaś główne światło.

[5] Wyjdź z pokoju i zamknij drzwi. Wcześniej włącz elektroniczną nianię, by słyszeć dziecko. Nie wracaj aż do rana. Dziecko może płakać przez dłuższe interwały. Jeśli zostało umieszczone we właściwie skonfigurowanej przestrzeni, nic mu nie grozi i wkrótce zaśnie. Przez kilka nocy nauczy się, że płacz nie powoduje twojego powrotu do pokoju.

Przeprogramowanie Nocnego Marka na Dziennego Marka

Ponieważ dziecko nie zostało wyposażone od początku w program pozwalający mu odróżnić noc od dnia, twój model może spać przez większą część dnia, a nie nocy. Jeśli zastosujesz się do poniższych wskazówek, możesz przeprogramować każdy model z Nocnego Marka na Dziennego Marka.

[1] Ustal charakterystyczne pory nocne i dzienne. W ciągu dnia odsłaniaj żaluzje, zapalaj światła i wprowadzaj do domu aktywność: włączaj muzykę i krzątaj się. W nocy zasuwaj żaluzje, wyłączaj światła lub zmniejszaj ich intensywność, zadbaj o ciszę i spokój. Dziecko będzie wolało budzić się za dnia i automatycznie dostosuje swoje wewnętrzne oprogramowanie.

[2] Jeśli musisz przewinąć lub przebrać dziecko w nocy, zrób to cicho i szybko. Mów jak najmniej do dziecka

[3] Jeśli dziecko śpi przez dłuższy okres późnym popołudniem lub wczesnym wieczorem, zmień ręcznie harmonogram. Obudź je na karmienie. Zabawiaj je i nie pozwól zasnąć. W sposób naturalny zmieni wówczas dłuższy okres spania na noc.

Stosowanie trybu snu poza domem

Aby aktywować tryb snu w wózku lub samochodzie, postępuj zgodnie z poniższymi wskazówkami.

Wózek

[1] Okryj ciepło dziecko. Upewnij się, że zostało ono ubrane odpowiednio do pogody. Otul je dodatkowym kocykiem, jeśli na zewnątrz jest zimno.

[2] Zaciemnij otoczenie dziecka. Jeśli wózek jest wyposażony w budkę, podnieś ją. Osłoń przód wózka kocykiem. Jeśli dziecko reaguje na to płaczem, odsłoń kocyk z jednej strony.

[3] Kieruj wózek w cichą okolicę.

[4] Od czasu do czasu monitoruj dziecko, by sprawdzić, czy jest w trybie snu.

[5] Kontynuuj spacer lub wróć do domu. Jeśli wracasz do domu, wprowadź wózek do środka i pozwól dziecku kontynuować drzemkę w wózku.

Samochód

[1] Przypnij starannie dziecko w foteliku.

[2] Zasłoń okno osłonami przeciwsłonecznymi lub ręcznikiem, aby nie dopuścić promieni słonecznych. Takie osłony można kupić w sklepach z artykułami dziecięcymi i przytwierdzić do szyby przyssawkami.

⚠ **UWAGA**: *Nie blokuj widoczności kierowcy ręcznikami lub osłonami przeciwsłonecznymi.*

[3] Uważnie wybierz trasę. Staraj się jechać w kierunku, gdzie słońce nie będzie padać bezpośrednio na oczy dziecka.

[4] Włącz cichą muzykę.

[5] Obserwuj dziecko. Niektóre niemowlęta uspokajają się na gładkich nawierzchniach, a inne wolą wyboje. Dostosuj trasę do upodobań dziecka.

Przebudzenia w środku nocy

Dziecko może budzić się w nocy z wielu różnych powodów. Wszystkie modele są dostarczane z zaprogramowanymi różnymi płaczami, a każdy sygnalizuje inny problem. Posiadacz musi nauczyć się interpretacji płaczu (patrz s. 48).

Głód, mokra pieluszka i zmiana w harmonogramie dnia stanowią najpopularniejsze powody budzenia się w środku nocy. Najpierw należy wyeliminować te przyczyny. Jeśli nadal masz problemy z określeniem, dlaczego dziecko się budzi, rozważ poniższe możliwości.

Budzenie się z powodu rośnięcia: Większość modeli przyspiesza wzrost (nagle rośnie ich masa ciała) w wieku 10 dni, 3 tygodni, 6 tygodni, 3 miesięcy i 6 miesięcy. W tych okresach dziecko może być niespokojne w nocy, a jego apetyt może się również wzmagać nocą. Te przyspieszenia wzrostu, które trwają do 72 godzin, stanowią zasadniczy element procesu rozwoju dziecka, użytkownik zaś nie może wiele zrobić, by je zmienić. Karm odpowiednio dziecko, a potem reaktywuj tryb snu.

Kamień milowy: Budzenie się z powodu osiągnięcia kamienia milowego w rozwoju zwykle zdarza się, gdy dziecko poznało nową umiejętność, taką jak siadanie, raczkowanie lub chodzenie. Dziecko może budzić się kilka razy w ciągu nocy i ćwiczyć nowe umiejętności.

Budzenie zdrowotne: Symptomy choroby (gorączka, zaczerwienienie i kaszel) zakłócają cykl snu dziecka. Inne procesy, takie jak ząbkowanie, również mogą zakłócać sen niemowlęcia. Są to usterki w funkcjonowaniu dziecka, które nie mogą zostać naprawione przez posiadacza. W ich trakcie zapewnij dziecku komfort i pomagaj przezwyciężyć je najlepiej jak umiesz. Skonsultuj się z personelem serwisowym dziecka w celu uzyskania pozwolenia na zastosowanie jednorazowej dawki antyhistaminy w celu zaktywowania trybu snu.

Obiekty zastępcze

Obiekty zastępcze są to przedmioty, które mogą pomóc dziecku w uspokojeniu się i samodzielnym zaktywowaniu trybu snu. Zostały nazwane obiektami zastępczymi, ponieważ służą jako surogat rodziców w czasie stresu, zapewniając dziecku poczucie bezpieczeństwa. Obiekty zastępcze przybierają formę kocyków lub pluszowych zwierzątek. Wielu posiadaczy nadaje tym przedmiotom imiona.

⚠ *UWAGA: W przypadku osesków obiekty zastępcze mogą stwarzać niebezpieczeństwo uduszenia się. Nie należy ich wprowadzać, dopóki model nie wykształcił pełnej kontroli nad funkcją przewracania się z boku na bok.*

[1] W ciągu dnia wprowadź w środowisko dziecka kilka obiektów zastępczych.

[**2**] Nocą umieść wszystkie przedmioty w łóżeczku dziecka. Niemowlę wybierze jeden lub dwa przedmioty, które woli od innych. Może spać bliżej jednego z nich lub złapać go, gdy będziesz wyjmować go z łóżeczka.

[**3**] Gdy nastąpiła identyfikacja ulubionego przedmiotu, pokaż go dziecku podczas przygotowań do snu. Niemowlę zacznie kojarzyć ten przedmiot ze snem. Widok obiektu zasygnalizuje, że to czas na przygotowanie się na sen.

⚠ *RADA EKSPERTA: Jeśli używasz smoczków, aby uspokoić dziecko, pomyśl o rozrzuceniu kilku (do pięciu) w łóżeczku. Jeśli dziecko obudzi się w środku nocy, może zauważyć smoczek, sięgnąć po niego i z powrotem zasnąć.*

[**4**] Podczas karmienia trzymaj przedmioty przy sobie, niech przejdą twoim zapachem. Niektórzy posiadacze nasączają je kilkoma kroplami mleka

[**5**] Pozwól dziecku zabierać ze sobą przedmiot w ciągu dnia.

[**6**] Przywiązanie do przedmiotu wzrośnie, wzmacniając poczucie bezpieczeństwa dziecka.

Sposoby na radzenie sobie z przestymulowaniem

Jeśli dziecko nie zasypia po tym, jak się zmęczyło na tyle, by zaktywować tryb snu, powstaje zagrożenie przestymulowania. Dziecku przestymulowanemu trudno jest zasnąć. Aby aktywować tryb snu, wypróbuj następujące techniki.

[**1**] Po pierwsze unikaj przestymulowania. Zachęcaj dziecko do wejścia w tryb snu przy pierwszych oznakach zmęczenia.

[2] Jeśli dziecko uległo przestymulowaniu, nie staraj się go zabawić. Nie podawaj mu zabawek, grzechotek ani innych form stymulacji.

[3] Umieść dziecko w pozycji „na fasolkę" (s. 42). Zasłoń je lekkim kocykiem, przerzucając go nad swoim ramieniem, aby zaciemnić otoczenie dziecka.

[4] Niech ruch uspokoi dziecko. Umieść je w wózku i przewieź po okolicy albo włóż w fotelik do samochodu i udaj się na przejażdżkę po sąsiedztwie (patrz s. 120). Spędź 15 minut w bujanym fotelu.

[5] Jeśli wszystko inne zawiedzie, niech się wypłacze. Umieść niemowlę w bezpiecznym miejscu i odczekaj kilka minut. Płacz może pomóc w pozbyciu się nadmiaru energii, a dziecko może automatycznie wejść w tryb snu.

Usterki trybu snu

Jeśli dziecko nieustannie budzi się w nocy, a ty nie możesz znaleźć źródła zakłóceń, może cierpieć na usterki trybu snu. Jednakże takie usterki zdarzają się rzadko. W celu zdiagnozowania i uzyskania dodatkowych informacji skonsultuj się z personelem serwisowym dziecka.

Bezdech senny: Podczas snu fizjologiczne przyczyny tymczasowo ograniczają przepływ powietrza w drogach oddechowych bobasa. Dziecko wyposażone jest we wbudowany system, który budzi je, tak by mogło normalnie oddychać. Symptomy bezdechu obejmują chrapanie lub głośne oddychanie podczas snu, kaszel lub krztuszenie się, pocenie się podczas snu oraz budzenie się. Dziecko po przebudzeniu wygląda na zdezorientowane lub przestraszone. Może też zdradzać oznaki bezsenności (patrz poniżej).

⚠️ RADA EKSPERTA: Jeśli niemowlę ma trudności z oddychaniem podczas snu, obudź je, głaszcząc podeszwę stopy palcem. Nigdy nie potrząsaj dzieckiem, by stymulować oddech.

Bezsenność: Jeśli bobas budzi się często w ciągu nocy, może cierpieć na bezsenność. Symptomy to: ogólna drażliwość i irytacja, bardzo długie drzemki w samochodach i wózkach podczas spacerów. Jeśli uznasz, że twoje dziecko cierpi na bezsenność, opracuj regularniejszy rozkład drzemek. Jeśli to nie pomoże, skonsultuj się z personelem serwisowym dziecka.

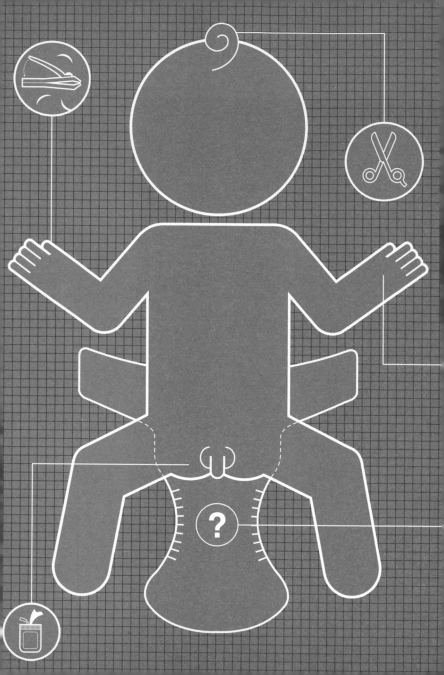

Rozdział 5

Ogólne wskazówki użytkowe

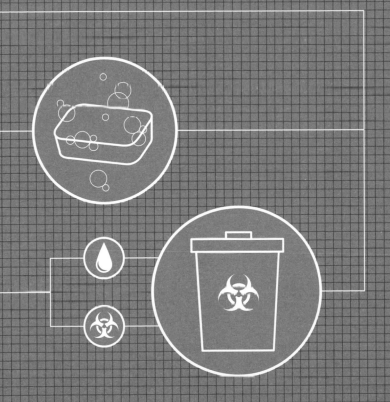

Działanie i instalacja pieluszki

Podczas pierwszego roku życia niemowlęcia występuje konieczność przeinstalowywania pieluszek kilka razy dziennie. Choć wielu posiadaczy bobasów uważa ten proces za nużący, korzyści przeważają nad niedogodnościami. Częsta reinstalacja pieluszek jest najefektywniejszą metodą zapobiegania wysypce, która może podrażniać i uszkadzać skórę niemowlęcia (patrz s. 135).

Ustawienie i konfiguracja modułu zmiany pieluszek

Zanim zainstalujesz pieluszkę, upewnij się, że masz pod ręką wszelkie potrzebne środki. Doświadczeni posiadacze trzymają je w centralnej części przedmiotu zwanego przewijakiem.

Półka do zmiany pieluszek: Powierzchnia półki powinna sięgać kilka centymetrów ponad talię użytkownika. Niektórzy użytkownicy kupują to akcesorium u producenta. Inni kładą piankową poduszkę do przewijania na niskiej komodzie, regale lub zwykłym stole. Każdy z tych sposobów jest do zaakceptowania, z tym że stół powinien mieć szuflady do pomieszczenia wymienionych niżej rzeczy.

Pieluszki: Spodziewaj się, że w ciągu pierwszego miesiąca życia niemowlaka zainstalujesz przynajmniej 300 pieluszek i na tych obliczeniach opieraj swoje plany. Dobrze zaopatrzony moduł zmiany pieluszek będzie zawierał przynajmniej dwanaście zapasowych pieluszek.

Stacja odbioru zanieczyszczeń: Umieść średniej wielkości kosz z pokrywą na wyciągnięcie ręki od przewijaka. Wyrzucaj do niego pieluszki, które później będzie można przenieść do śmietnika. Stacja odbioru powinna zostać wyposażona w moduł plastikowej torby, którą należy często opróżniać, żeby zminimalizować nieprzyjemny zapach.

⚠ **RADA EKSPERTA:** *Jeśli pierzesz pieluszki z materiału, nie łącz ich z innymi częściami garderoby. Namocz je w gorącej wodzie i dwukrotnie przepłucz. Użyj mydła dla dzieci zamiast silnych detergentów. Proces suszenia w suszarce może też spowodować skażenie detergentami i dlatego należy go unikać.*

Przedmioty do przemywania: Mała miska z ciepłą wodą i sześć ściereczek lub myjek powinno wystarczyć. Wielu posiadaczy stosuje chusteczki do przemywania, ale ich także należy unikać podczas pierwszego miesiąca życia niemowlęcia. Większość takich chusteczek zawiera alkohol, który może wysuszyć skórę. Jeśli dziecko nie cierpi na wysypkę, chusteczek można używać po ukończeniu pierwszego miesiąca życia.

Kremy, balsamy, oliwki i wazelina: Te produkty pielęgnują, koją i nawilżają skórę dziecka. Kupuj je w razie potrzeby i przechowuj blisko przewijaka. Talk może być używany do osuszania części ciała, ale większość personelu serwisowego już go nie zaleca. Jeśli dziecko zaczerpnie do płuc znacznej ilości pyłu, mogą pojawić się problemy z oddychaniem. Jeśli używasz talku, nasyp go na dłonie – nie na dziecko – a następnie wetrzyj delikatnie w skórę niemowlęcia.

Zapasowe ubranka: Nie sposób przewidzieć, czy dziecko nie zdecyduje się na wypuszczenie zanieczyszczeń podczas procesu przewijania. Zanieczyszczenia mogą przyjąć formę tryskającej strugi lub wybuchowego chlustu. Podejmij środki zaradcze – trzymaj w pobliżu zapasowe ubranko.

Karuzela lub zabawka: mogą służyć do zabawienia dziecka podczas przeinstalowywania pieluszki.

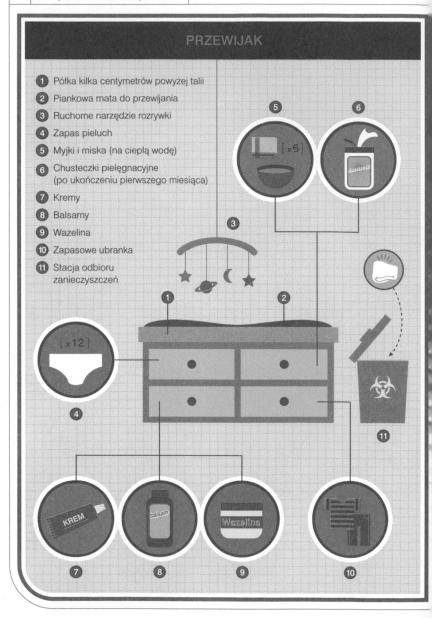

PRZEWIJAK

1. Półka kilka centymetrów powyżej talii
2. Piankowa mata do przewijania
3. Ruchome narzędzie rozrywki
4. Zapas pieluch
5. Myjki i miska (na ciepłą wodę)
6. Chusteczki pielęgnacyjne (po ukończeniu pierwszego miesiąca)
7. Kremy
8. Balsamy
9. Wazelina
10. Zapasowe ubranka
11. Stacja odbioru zanieczyszczeń

Torba na pieluchy: Torba na pieluchy powinna towarzyszyć tobie i twojemu dziecku w każdej podróży poza domem. W środku muszą się znaleźć: ręcznik, podróżna mata do przewijania, pieluszki, zapasowe agrafki (jeśli używasz pieluszek z materiału), bawełniane myjki, ściereczki lub gąbki, termos z ciepłą wodą, wazelina, zapasowy zestaw ubranek i jedna lub dwie małe zabawki. Regularnie uzupełniaj zawartość torby.

Suszarka (opcjonalnie): Suszarka bez opcji gorącego nawiewu może wspomóc osuszanie skóry dziecka.

Pieluszki wielorazowe kontra pieluszki jednorazowe

W dzisiejszych czasach posiadacze dzieci muszą wybierać między pieluszkami z materiału (które można wyrzucić lub użyć ponownie) a pieluszkami jednorazowymi (których używa się jeden raz, a potem wyrzuca). Decyzja będzie miała niewielki lub żaden efekt na działanie i rozwój dziecka. Podejmij decyzję o wyborze, bazując na własnych potrzebach i preferencjach. Rozważ poniższe korzyści.

PIELUSZKI Z MATERIAŁU

- są przyjemniejsze dla skóry dziecka
- są tańsze od pieluszek jednorazowych
- nie zatruwają środowiska

PIELUSZKI JEDNORAZOWE

- wchłaniają więcej zanieczyszczeń
- mogą być instalowane szybciej od pieluszek z materiału
- nie zużywają wody i detergentów
- łatwo je transportować

Instalacja pieluszki

Jeśli dziecko wydziela nieprzyjemny zapach lub zaczyna płakać bez powodu, być może należy przeinstalować mu pieluszkę. W miarę nabierania doświadczenia posiadacz zacznie oceniać status pieluszki, po prostu dotykając jej i czując dodatkowy ciężar. Alternatywą jest delikatne wsunięcie do środka palca w celu zbadania wilgotności. Zanim usuniesz zanieczyszczoną pieluszkę, upewnij się, że masz pod ręką wszystkie potrzebne narzędzia.

⚠ **UWAGA**: *Nigdy nie pozostawiaj dziecka bez opieki na przewijaku.*

[1] Połóż dziecko na przewijaku i rozepnij pieluszkę.

[2] Odwiń przednią część pieluszki i oceń zawartość (Rys. A). Jeśli pieluszka jest tylko mokra, przejdź do kroku 6.

[3] Unieś nogi dziecka, aby ich nie zanieczyścić. Złap jedną ręką obydwie stopy i delikatnie unieś je nad brzuch niemowlęcia.

[4] Używając czystego skraju zanieczyszczonej pieluszki, wytrzyj fekalia ze skóry dziecka (Rys. B). W przypadku chłopców, wycieraj od tyłu do przodu. W przypadku dziewczynek, wycieraj od przodu do tyłu (zminimalizuje to ryzyko infekcji narządów płciowych)

⚠ **RADA EKSPERTA**: *Osoby reinstalujące pieluszkę ryzykują opryskaniem płynnymi zanieczyszczeniami. Zakrycie penisa lub sromu niemowlęcia ręcznikiem zminimalizuje to zagrożenie.*

[5] Usuń zanieczyszczoną pieluszkę (Rys. C).

INSTALACJA PIELUSZKI

(Rys. A)
USUWANIE PIELUSZKI

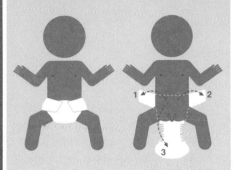

(Rys. B)
USUWANIE FEKALIÓW

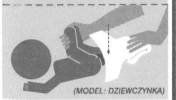

(MODEL: CHŁOPIEC)

(MODEL: DZIEWCZYNKA)

(Rys. C)
WYRZUCANIE
PIELUSZKI

(Rys. D)
MYCIE

(Rys. E)
SUSZENIE

(Rys. F)
REINSTALACJA PIELUSZKI

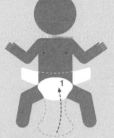
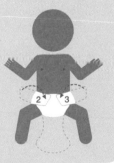

[6] Oczyść skórę bawełnianą myjką lub ściereczką zanurzoną w ciepłej wodzie. Wypłucz i oczyść ściereczkę po każdym przesunięciu po skórze (Rys. D).

[7] Osusz dziecko strumieniem powietrza lub dotykaniem bawełnianą ściereczką (Rys. E). Suszarka ustawiona na brak grzania może przyspieszyć proces, ale niektóre modele mogą być zaniepokojone hałasem.

[8] Aby zainstalować pieluszkę jednorazową, otwórz ją całkowicie i podłóż pod dziecko. Rzepy do zapięcia powinny znaleźć się z tyłu. Umieść dziecko pośrodku pieluszki. Zawiń przód na genitalia dziecka i zapnij rzepy (Rys. F). Przejdź do kroku 10.

[9] Aby zainstalować pieluszkę z materiału, złóż pieluszkę w trójkąt. Połóż dziecko pośrodku pieluszki. Unieś najniższy róg. Zawiń jedną stronę i przytrzymaj na miejscu, zawijając jednocześnie drugą. Zamocuj agrafką.

[10] Pieluszka powinna ściśle przylegać do talii dziecka, ale nie może być za ciasna. Upewnij się, że możesz włożyć jeden lub dwa palce między pieluszkę a brzuszek.

⚠ *UWAGA: Jeśli dziecko nadal ma kikut pępowiny, zwiń przód pieluszki o kilka centymetrów niżej, zanim zapniesz pieluszkę. Nie zakrywaj kikuta.*

RÓŻNICE W ZALEŻNOŚCI OD MODELU

CHŁOPIEC

- Zawsze kieruj penis do dołu, zanim zapniesz pieluszkę.
- Jeśli dziecko zostało obrzezane, nasmaruj wazeliną tę część pieluszki, która może mieć kontakt z penisem. Jeśli dziecko nie zostało obrzezane, nie odwijaj napletka podczas mycia.

DZIEWCZYNKA

- Nigdy nie rozsuwaj warg sromowych podczas czyszczenia.
- Zbadaj uważnie ujście pochwy, czy nie pozostały tam resztki zanieczyszczeń.

Wysypka – skąd się bierze i jak ją usunąć

Podrażnienie skóry może pojawić się w każdym miejscu, gdzie skóra dziecka styka się z pieluszką. Najczęściej są to pośladki, genitalia, podbrzusze i uda. Najbardziej typową odmianą jest wysypka kontaktowa, która objawia się zaczerwienieniem lub małymi krostkami. Wysypka kontaktowa pojawia się zwykle, gdy dziecko dłuższy czas ma mokrą pieluszkę (wilgoć sprawia, że skóra jest bardziej podatna na otarcia).

Najlepszą terapią w przypadku wysypki jest jej zapobieganie. Zmieniaj często pieluszki, zwłaszcza gdy dziecko się budzi. Natychmiast zmień je po

defekacji. Minimalizuj kontakt skóry dziecka z zanieczyszczeniami. Jeśli zastosujesz wymienione poniżej techniki, wysypka powinna zniknąć w ciągu trzech do pięciu dni. Jeśli podrażnienie nadal się utrzymuje, skonsultuj się z personelem serwisowym dziecka.

[1] Zanim zainstalujesz nową pieluszkę, użyj myjki i ciepłej wody, by oczyścić pośladki i genitalia swojego modelu. Alkohol i balsamy, które znajdują się w niektórych chusteczkach pielęgnacyjnych mogą zaostrzyć wysypkę.

[2] Podczas czyszczenia stosuj delikatne poklepywanie. Silne wycieranie może zaognić wysypkę.

[3] Niech dziecko wyschnie samo, bez wycierania. Aby przyspieszyć ten proces, możesz też zastosować suszarkę ustawioną na tryb bez grzania. Nie trzyj skóry ręcznikiem. Nie instaluj nowej pieluszki, jeśli dziecko jest wciąż mokre.

[4] Jeśli wysypka się utrzymuje, zastosuj na zmienionych miejscach łagodną oliwkę. Posmarowanie wazeliną miejsc natłuszczonych oliwką nie dopuści do kontaktu skóry z wilgocią i zapobiegnie starciu oliwki przez pieluszkę.

[5] Jeśli na zmienionej skórze pojawiają się pęcherze, niemowlę może cierpieć na infekcję bakteryjną. Skonsultuj się z personelem serwisowym bobasa.

[6] Jeśli wokół zmienionego miejsca pojawią się czerwone kropki, dziecko może mieć kandydozę. Skonsultuj się z personelem serwisowym bobasa.

Wykrywanie działania funkcji odpadowej niemowlaka

Rozwijanie żywego zainteresowania funkcją odpadową bobasa nie jest niczym nadzwyczajnym. Wielu posiadaczy dziecka używa tabel, aby zapisywać jej działanie. Te informacje mogą okazać się przydatne dla personelu serwisowego dziecka, zwłaszcza jeśli niemowlę cierpi na biegunki lub zaparcia.

Funkcja moczowa

Bobasy różnią się od siebie w zależności od modelu, ale wszystkie oddają mocz cztery do piętnastu razy dziennie. Jeśli dziecko moczy mniej niż cztery pieluszki dziennie, może być chore lub odwodnione. Skonsultuj się wówczas z personelem serwisowym dziecka.

Podczas wykrywania działania funkcji moczowej licz każdą mokrą pieluszkę jako jedno działanie funkcji i zakreśl ją w odpowiedniej komórce tabeli. Przykładowa tabela na sąsiedniej stronie ukazuje typowy tygodniowy wzór działania funkcji moczowej. Skopiuj pustą tabelę, zamieszczoną w załączniku (patrz s. 220), aby samodzielnie śledzić funkcję moczową dziecka.

⚠️ *RADA EKSPERTA: Wiele pieluszek jednorazowych tak dobrze absorbuje płyny, że trudno określić, czy są mokre. Jeśli umieścisz niewielki pasek gazy w pieluszce, zdołasz określić, czy pieluszka jest rzeczywiście mokra.*

Funkcja wydalnicza

Trzy główne charakterystyki funkcji wydalniczej bobasa to: częstotliwość, kolor i konsystencja. Zdrowy bobas może produkować różne odmiany odpadów, zgodnie z poniższymi przykładami.

Funkcja moczowa dziecka

Imię modelu

DZIEŃ	DATA	ILOŚĆ AKTYWIZACJI FUNKCJI MOCZOWEJ
NDZ.	21/12	‖‖‖ ‖
PN.	22/12	‖‖‖ ‖
WT.	23/12	‖‖‖ ‖‖‖‖
ŚR.	24/12	‖‖‖ ‖‖‖
CZW.	25/12	‖‖‖ ‖‖‖‖
PT.	26/12	‖‖‖ ‖‖‖
SOB.	27/12	‖‖‖ ‖‖

Imię modelu

DATA	CZAS	KOLOR	KONSYSTENCJA	WYDALENIE	
21/12	10:15	żółty	luźne z grudkami	⊗ łatwe	○ trudne
21/12	1:30	zielony	luźne	⊗ łatwe	○ trudne
21/12	3:00	brąz	gęste	○ łatwe	⊗ trudne
21/12	18:00	żółty	luźne	⊗ łatwe	○ trudne
21/12	20:00	brąz	gęste	○ łatwe	⊗ trudne
22/12	11:00	żółty	luźne	⊗ łatwe	○ trudne
22/12	14:00	zielony	gęste	○ łatwe	⊗ trudne
				○ łatwe	○ trudne
				○ łatwe	○ trudne
				○ łatwe	○ trudne
				○ łatwe	○ trudne
				○ łatwe	○ trudne
				○ łatwe	○ trudne
				○ łatwe	○ trudne

Częstotliwość: Bobas może wydalać do ośmiu stolców dziennie lub tylko jeden na trzy dni. Dzieci karmione piersią zwykle wydalają częściej niż dzieci karmione mlekiem modyfikowanym (mleko matki ma działanie przeczyszczające).

Kolor: W ciągu pierwszego tygodnia dziecko wydala smółkę, która jest strawionym płynem owodniowym. Zielonkawoczarna substancja została zainstalowana przed dostawą dziecka i musi zostać wydalona, zanim zacznie się normalne trawienie. Po pierwszym tygodniu zanieczyszczenia z jelit bobasa staną się bardziej zielone, by w końcu przybrać kolor musztardowej żółci (w przypadku dzieci karmionych piersią) lub brązu (w przypadku dzieci karmionych mlekiem modyfikowanym). Gdy dziecko zaczyna jeść pożywienie stałe, kolor zanieczyszczeń jelitowych zacznie zmieniać się w zależności od posiłku.

Konsystencja: Smółka zwykle jest gęsta i przypomina smołę. Dzieci karmione piersią będą wydalać płynne odchody z grudkami. Niemowlęta karmione mlekiem modyfikowanym będą produkować nieco gęstsze odchody o konsystencji masła. Przykładowa tabela na poprzedniej stronie ukazuje typowy wzór tygodniowej produkcji odpadów. Skopiuj pustą tabelę zamieszczoną w załączniku (patrz s. 221), aby obserwować działanie funkcji wydalniczej bobasa.

Mycie dziecka

Aby zagwarantować najwyższą jakość funkcjonowania, każdy model powinien zostać wyczyszczony co dwa lub trzy dni użytkowania. Jeśli bobas wciąż ma kikut pępowiny, zaleca się mycie dziecka gąbką kąpielową. Gdy kikut odpadnie, można rozpocząć kąpiele w wanience. Gdy dziecko osiągnie odpowiednią wielkość, gwarantuje się możliwość odbywania kąpieli w normalnej wannie.

Zanim dziecko zostanie umyte, upewnij się, że w pobliżu znajdują się wszystkie wymienione niżej przedmioty (Rys. A):

- suche ręczniki
- świeże ubranko
- nowa pieluszka
- myjki lub gąbki

- kubeczki lub miseczki
- grzebień (opcjonalnie)
- szampon (opcjonalnie)

RADA EKSPERTA: Aby zapewnić dziecku jak największą wygodę, radzimy zwiększyć temperaturę w domu na czas kąpieli do 23°C.

Mycie gąbką (Rys. B)

[1] Przygotuj dwie miski z ciepłą wodą. Do jednej dodaj mydło. Używaj mydła dla dzieci.

[2] Ułóż dziecko na ręczniku na płaskiej powierzchni lub na swoich kolanach.

[3] Usuń ubranka. Jeśli twój model nie ma nic przeciwko rozbieraniu, zdejmij wszystko, ale zakryj suchym ręcznikiem dolną część ciała. Jeśli bobas nie lubi rozbierania, odsłaniaj po kolei poszczególne części ciała.

[4] Zanurz gąbkę w wodzie z mydłem i myj nią dziecko. Zajmuj się tylko jedną częścią ciała naraz.

[5] Zanurz ściereczkę w wodzie bez dodatku mydła. Zmyj mydliny łagodny mi delikatnymi ruchami.

[6] Oczyść twarz dziecka. Zanurz ściereczkę w wodzie bez mydła i delikatnie dotykaj nią twarzy dziecka. Zacznij od nosa i kieruj się ku uszom, głaszcząc skórę delikatnymi ruchami. Umyj skórę za uszami i między fałdami na szyi.

(Rys. A)
POTRZEBNE PRZEDMIOTY:

1. Suche ręczniki
2. Świeże ubranko
3. Nowa pieluszka
4. Ściereczki lub gąbki
5. Małe kubki lub miseczki
6. Grzebień (opcjonalnie)
7. Szampon (opcjonalnie)

(Rys. B)
MYCIE GĄBKĄ

Letnia woda

Letnia woda
z mydłem

(Rys. C)
KĄPIEL W WANIENCE

Letnia woda

Podtrzymuj głowę dziecka

Ciepła wilgotna ściereczka

(5-7cm)

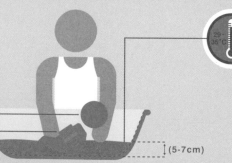

KĄPIEL W WANIENCE
LUB MYCIE GĄBKĄ:

W celu osiągnięcia najlepszych wyników, przeprowadzaj ją co dwa-trzy dni.

⚠ *UWAGA:*

- *Nie myj kikuta pępowiny.*
- *Unikaj zamoczenia penisa, jeśli został obrzezany, dopóki się nie zagoi.*
- *Nie myj wnętrza pochwy.*

[7] Umyj dziecku włosy (patrz s. 147).

[8] Otul czyste dziecko ręcznikiem i osusz je, poklepując, materiałem.

[9] Jeśli dziecko wciąż ma kikut pępowiny, możesz oczyścić go wacikiem nasączonym spirytusem salicylowym. Zminimalizuje to ryzyko infekcji.

[10] Zainstaluj ponownie pieluszkę (patrz s. 102) i ubierz dziecko (patrz s. 152).

Kąpiel w wanience (Rys. C)

[1] Nabądź małą wanienkę, misę lub zlew i wyściel matą lub ręcznikiem.

⚠ *UWAGA: Nigdy nie pozostawiaj dziecka bez opieki w wanience. Dziecko może utopić się nawet w 2,5 do 5 cm wody.*

[2] Wypełnij wanienkę ciepłą wodą (5-7 cm). Użyj termometru, by sprawdzić temperaturę, która powinna ciągać od 20 do 35°C. Jeśli nie masz termometru, zanurz łokieć w wodzie, by ocenić stopień ogrzania. Jeśli woda jest dla ciebie za gorąca, to jest również za gorąca dla dziecka. Dolej zimnej wody i sprawdź ponownie temperaturę.

[3] Rozbierz dziecko.

[**4**] Włóż bobasa do kąpieli. Podtrzymuj ręką głowę dziecka, szyję i ramiona nad powierzchnią wody.

RADA EKSPERTA: *Zamocz zapasową ściereczkę i przykryj klatkę piersiową dziecka. Podczas kąpieli polewaj materiał wodą. Pozwoli to na ogrzanie dziecka, podczas gdy będziesz myć inne części ciała.*

[**5**] Umyj dziecko. Nasącz myjkę mydłem dla dzieci i umyj nią niemowlę. Nieustannie podtrzymuj ręką głowę dziecka, szyję i ramiona, drugą myjąc ciało.

[**6**] Umyj włosy bobasa (patrz s. 147).

[**7**] Opłucz dziecko. Użyj kubeczka wypełnionego letnią wodą z kranu, by usunąć pozostałości mydlin.

UWAGA: *Jeśli piecyk do podgrzewania wody w domu ma usterki, woda z kranu może być wrząca. Nigdy nie wkładaj dziecka do wanienki, zanim nie nalejesz wody. Zawsze sprawdź temperaturę wody przed włożeniem dziecka do wanienki.*

Kąpiel w wannie

W wieku sześciu miesięcy większość modeli wyrasta z wanienek i jest gotowa na kąpiel w wannie dla dorosłych. Wzrastająca ruchliwość dziecka będzie wymagać wprowadzenia zmian w zwyczajach kąpielowych. Podczas tego okresu posiadacze powinni nadal kąpać dziecko dwa do trzech razy w tygodniu.

⚠️ **UWAGA:** *Nigdy nie pozostawiaj dziecka w wannie bez opieki. Bobas może utopić się nawet w 2,5 do 5 cm wody.*

[**1**] Zainstaluj gumową matę kąpielową w wannie, aby zapobiec pośliźnięciu się (Rys. A).

[**2**] Zakryj kran i kurki. Użyj małych ręczników lub specjalnych osłonek sprzedawanych w sklepie. Zapobiegają one odkręceniu wody przez niemowlę lub przypadkowemu uderzeniu w głowę (Rys. C).

[**3**] Napełnij wannę ciepłą wodą.

[**4**] Sprawdź poziom wody. Bez względu na to, czy zamierzasz kąpać się z dzieckiem czy też klęczeć obok wanny, poziom wody musi być poniżej talii dziecka, czyli sięgać od 5 do 7 cm (Rys. B).

[**5**] Zakręć najpierw gorącą wodę. Upewnij się, że kurek został mocno zakręcony. Zapobiegnie to oparzeniom wywołanym przeciekającym lub niedokręconym kranem.

[**6**] Sprawdź temperaturę wody termometrem lub zanurz łokieć w wodzie, by ocenić stopień ciepłoty.

⚠️ **RADA EKSPERTA:** *Aby zapobiec przypadkowemu oparzeniu, upewnij się, że termostat przy piecyku ustawiony jest poniżej 44°C.*

[**7**] W razie potrzeby dolej ciepłej lub zimnej wody.

⚠️ **RADA EKSPERTA:** *Jeśli dziecko niechętnie się kąpie, możesz dołączyć do niego w kąpieli. Jeśli jesteś sam, posadź dziecko na macie przy wannie,*

(Rys. A)
ZAINSTALUJ MATĘ KĄPIELOWĄ

(Rys. B)
ODPOWIEDNI POZIOM WODY

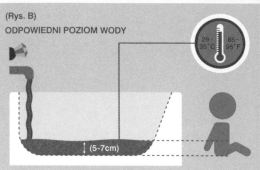

29 - 35°C   85 - 95°F

(5-7cm)

(Rys. C)
ŚRODKI BEZPIECZEŃSTWA
Zakryj kurki i kran osłonami lub ręcznikami

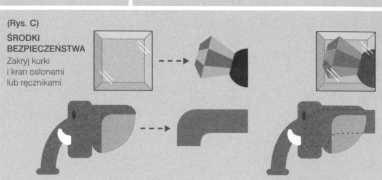

(Rys. D)
POPRAWNA PROCEDURA OPERACYJNA

(Rys. E)
ZWIĘKSZ POZIOM ZABAWY W WANNIE

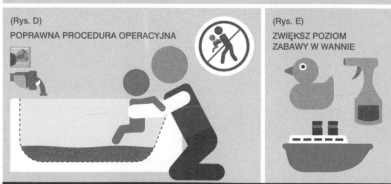

PROCEDURA KĄPIELOWA: bezpieczeństwo, zabawa, czystość.

wejdź do wody, a potem weź je do środka. Przy wychodzeniu zachowaj odwrotną kolejność. Jeśli pomaga ci inny posiadacz, niech partner poda ci dziecko, gdy usiądziesz w wannie. Zanim wyjdziesz z wanny, podaj niemowlę partnerowi. Nigdy nie wchodź do wanny ani nie wychodź, trzymając dziecko, ponieważ upadek może prowadzić do zranienia i poważnych usterek.

[8] Klęcząc, delikatnie posadź dziecko w wodzie (Rys. D).

[9] Zanim przystąpisz do mycia, spędź trochę czasu, bawiąc się w wodzie. Dziecko początkowo może niechętnie zapatrywać się na wejście do wanny. Stwórz nastrój zabawy, bawiąc się pływającymi i pryskającymi wodą zabawkami (Rys. E).

[10] Umyj dziecko (patrz s. 143.).

⚠ *UWAGA: Niemowlęta – zwłaszcza modele żeńskie – są podatne na infekcje dróg moczowych, jeśli przebywają zbyt długo w wannie z wodą z mydłem lub szamponem. Zawsze myj dziecko pod koniec kąpieli.*

Mycie włosów

Nawet jeśli twój model nie został dostarczony z wcześniej zamontowanym owłosieniem, należy myć mu głowę co trzy do pięciu dni. Dzięki temu ogranicza się ryzyko powstania ciemieniuchy (patrz s. 204). Używaj szamponu dla dzieci.

[1] Namocz włosy lub głowę świeżą ciepłą wodą.

[2] Rozmasuj niewielką ilość szamponu (wielkości gumki do ścierania na końcu ołówka) na głowie dziecka, aż utworzy się piana. Ze szczególną delikatnością masuj ciemiączka (patrz s. 16).

[**3**] Pochyl głowę dziecka do tyłu i spłucz szampon. Użyj kubeczka, by polać główkę świeżą letnią wodą. Zapobiegaj dostaniu się szamponu do oczu i uszu dziecka.

[**4**] Delikatnie wytrzyj bobasa ręcznikiem.

Czyszczenie uszu, nosa i paznokci

Większość modeli wzbrania się przed dodatkowym czyszczeniem po wykąpaniu, osuszeniu i ubraniu. W rezultacie wielu posiadaczy odwleka te procedury na później.

Uszy: Nie wolno dopuścić, by woda wlała się do uszu niemowlęcia, gdyż może to prowadzić do infekcji. Aby oczyścić uszy, użyj dostosowanych do wieku patyczków, by usunąć woskowinę lub brud z małżowiny usznej.

⚠ *UWAGA: Nie ma konieczności, byś czyścił miejsca, których nie widzisz. Wkładanie patyczka (lub czegokolwiek innego) do kanału słuchowego lub do nosa może prowadzić do usterek.*

Nos: Aby oczyścić nozdrza dziecka, użyj dostosowanych do wieku patyczków, namoczonych wodą, które rozmiękczą zaschnięty śluz.

Paznokcie: Aby ułatwić sobie zadanie, użyj nożyczek dla niemowląt. Obetnij paznokcie tak, jak obcinasz je sobie. Obcinaj paznokcie u nóg na prosto. Pomyśl o opiłowaniu zamiast obcinaniu paznokci, jeśli dziecko stawia opór.

💡 *RADA EKSPERTA: Jeśli niemowlę protestuje przeciwko obcinaniu paznokci, obetnij je, gdy śpi. Ograniczy to ryzyko zranienia.*

Czyszczenie i szczotkowanie zębów

Dziąsła większości modeli nie wyprodukują zębów aż do ukończenia od czterech do dwunastu miesięcy. Niemowlę nie posiada wbudowanej funkcji czyszczącej, zatem to do posiadacza należy troska o zęby dziecka. Początkowo posiadacz potrzebuje do oczyszczenia zębów jedynie miękkiej ściereczki. Gdy zęby rosną i jest ich więcej – od dziesiątego do dwunastego miesiąca życia – posiadacze mogą kupić niemowlęciu szczoteczkę do zębów. W sklepach można nabyć specjalne szczoteczki zaprojektowane dla bobasów. Alternatywą jest zwykła szczoteczka z małą główką i miękkimi włóknami. Pozwól dziecku pobawić się szczoteczką i żuć ją, zanim spróbujesz wyczyścić mu zęby. Dzięki temu niemowlę oswoi się ze szczoteczką i może ulżyć sobie w przypadku bólu przy ząbkowaniu.

Czyszczenie

Dwa razy w ciągu dnia dla każdego zęba zastosuj poniższą procedurę.

[1] Zwilż ciepłą wodą czystą miękką ściereczkę lub gazę.

[2] Złap kawałeczek materiału między kciuk a palec wskazujący.

[3] Delikatnie nakryj ząb materiałem. Przesuń go do linii dziąseł i lekko ściśnij.

[4] Wyliżyj ząb, wyjmując materiał.

[5] Powtórz dwukrotnie w przypadku każdego zęba.

Szczotkowanie

Zanim przejdziesz od czyszczenia zębów szmatką do szczoteczki, sprawdź z personelem serwisowym dziecka, czy już nadszedł odpowiedni czas.

[1] Namocz włókna szczoteczki w ciepłej wodzie.

[2] Nałóż na szczoteczkę pastę fluorową dla dzieci w ilości około pół ziarnka grochu. Większość past dla dorosłych nie nadaje się dla dzieci poniżej 36 miesiąca życia.

[3] Posadź dziecko na kolanach twarzą do siebie lub trzymaj je przed lustrem.

[4] Włóż szczoteczkę do ust bobasa i pocieraj zęby włóknami. Wykonuj lekkie, okrężne ruchy. Zbyt mocne szczotkowanie może uszkodzić dziąsła dziecka.

[5] Podaj dziecku łyk wody, by wypłukało usta.

⚠ *UWAGA: Zawsze czyść zęby dziecka przed aktywacją trybu snu. Resztki mleka na zębach mogą prowadzić do powstania próchnicy.*

Skracanie włosów bobasa

Niektórzy posiadacze bobasów skracają im włosy w pierwszym roku życia. Gdy po raz pierwszy przycinasz włosy, mogą początkowo nie odrastać. Nie niepokój się, ponieważ nie jest to oznaka usterek. Wraz z wiekiem włosy zaczną rosnąć normalnie.

[1] Zbierz niezbędne rzeczy. Będziesz potrzebować pomocnika, ręcznika, spryskiwacza, nożyczek dla niemowląt i zabawki (albo innego rozpraszacza uwagi) (Rys. A).

[2] Posadź dziecko na kolanach asystenta twarzą do siebie. Okryj ciało dziecka od szyi w dół ręcznikiem (Rys. B).

[3] Zmocz włosy bobasa. Zasłoń mu oczy ręką, a potem spryskaj hojnie głowę za pomocą spryskiwacza.

[4] Odwróć uwagę dziecka od nożyczek. Inaczej będzie próbowało je złapać, co z kolci uczyni proces obcinania trudnym i niebezpiecznym. Pomocnik powinien odwracać uwagę dziecka lusterkiem, balonem, kukiełkami lub inną formą rozrywki. Włączenie telewizji może skupić uwagę dziecka, sprawiając, że chętniej usiedzi spokojnie na kolanach.

[5] Złap kosmyk włosów między palec wskazujący i środkowy i utnij go nożyczkami.

[6] Powtarzaj, aż wszystkie pasma będą mieć pożądaną długość.

⚠ *RADA EKSPERTA: Jeśli dziecko stawia opór, możesz nie mieć szansy na skończenie zadania. Próbuj przyciąć najpierw najdłuższe i najbardziej problematyczne kosmyki.*

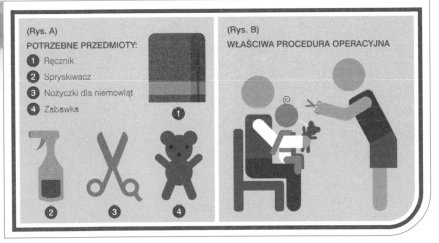

(Rys. A)
POTRZEBNE PRZEDMIOTY:
1 Ręcznik
2 Spryskiwacz
3 Nożyczki dla niemowląt
4 Zabawka

(Rys. B)
WŁAŚCIWA PROCEDURA OPERACYJNA

Ubieranie niemowlęcia

Używanie pewnych akcesoriów zwanych ubrankami ochroni bobasa przed bezpośrednim wpływem słońca i wilgoci, zadrapaniami, kurzem oraz innymi niebezpieczeństwami. Co ważniejsze, ubranka pomagają niemowlęciu w regulacji wewnętrznego termostatu. Akcesoria te można kupić w wielu specjalistycznych sklepach.

Należy unikać zbyt ciepłego ubierania dziecka, ponieważ może to spowodować zagrożenie wystąpienia syndromu nagłej śmierci noworodków (patrz s. 215). Zaleca się utrzymywanie temperatury w domu na poziomie 20°C i ubieranie dziecka w jedną warstwę odzieży więcej, niż ty masz na sobie. Jeśli czujesz miłe ciepło, będąc w podkoszulku, ubierz dziecko w podkoszulek i lekką, zapinaną na guziki bluzkę. Kocyk zalicza się do dodatkowej warstwy.

[1] Wybierz ubranko na dzień, które można łatwo zdejmować. Skłaniaj się ku szerokim wycięciom pod szyją, rozciągliwym materiałom, luźnym rękawom i zatrzaskom. Ubranko nocne powinno być ognioodporne i bardziej przylegające do ciała.

[2] Sprzątnij łóżko lub przewijak, na którym położysz dziecko. Jeśli w ciągu minionej godziny nie przeinstalowałeś dziecku pieluszki, sprawdź, czy nie wymaga ona zmiany (patrz s. 132).

[3] Dziecko może wzbraniać się przed przebieraniem. Pomyśl o odwróceniu uwagi. Może ci w tym pomóc uspokajająca muzyka, karuzela i maskotki.

[4] Rozciągnij otwory na głowę przed próbą włożenia ubrania dziecku. Głowa bobasa może być większa od większości otworów w odzieży, co będzie wymagać ręcznego rozciągania ubranka. Nie jest to wada w projekcie bobasa i nie będzie wywierać wpływu na obecny (lub przyszły) wygląd fizyczny modelu.

[5] Sięgnij przez wlot rękawa, złap przedramię dziecka i delikatnie naciągnij rękaw na ramię. Powtórz to samo z drugą ręką. Tak samo postępuj w przypadku spodni lub innych ubranek.

[6] Gdy zasuwasz zamek, odsuń ubranko od ciała i unikaj styczności ze skórą bobasa.

Ochrona dziecka przed zimnem i gorącem

Nigdy nie należy przechowywać dziecka w zbyt zimnym lub zbyt gorącym środowisku. Podczas transportu bobasa na zewnątrz należy podjąć poniższe kroki, by ustrzec go przed naturalnym gorącem lub zimnem.

Unikanie przegrzania

Najlepszym sposobem zapobiegania przegrzaniu jest unikanie bezpośredniego działania promieni słonecznych i wystrzeganie się zbyt wielu warstw odzieży. Aby zmaksymalizować chłodzenie i zminimalizować nasłonecznienie, zastosuj następujące elementy ubioru.

Gęsto tkane, luźne ubrania z bawełny w jasnych kolorach: Ściśle tkaniny chronią przed przenikaniem promieni słonecznych przez materiał. Luźne ubrania z bawełny pomagają dziecioku w regulowaniu wewnętrznego termostatu. Materiał w jasnym kolorze lepiej odbija promienie słoneczne.

Koszule z długimi rękawami i spodnie z długimi nogawkami: Ochrona skóry niemowlęcia przed bezpośrednim działaniem słońca pomoże utrzymać niższą temperaturę ciała. Zakrywaj eksponowane powierzchnie.

Skarpetki: Skóra na stopach jest wyjątkowo podatna na oparzenia słoneczne. Jeśli dziecko znajduje się w wózku, często jego stopy są bardziej wyeksponowane od reszty ciała. Zakrywaj je bawełnianymi skarpetkami.

Kapelusz z rondem: Ochroni głowę, twarz i uszy.

Okulary przeciwsłoneczne: Ochronią oczy, które są najwrażliwsze na wpływ słońca w pierwszym roku życia. Możesz zaopatrzyć się w specjalne paski przytrzymujące okulary przeciwsłoneczne. Przymocuj je ściśle, by nie stwarzały zagrożenia uduszenia się.

⚠️ *UWAGA: Dzieci młodsze niż sześć miesięcy nie powinny być smarowane kremami z filtrem słonecznym. Dopuszcza się to jedynie w przypadku, gdy nie można ubrać bobasa w odpowiedni strój i nie ma odpowiedniej ochrony przed słońcem. Chemikalia mogą podrażnić delikatną skórę dziecka. Po ukończeniu sześciu miesięcy należy stosować niewielką ilość kremu, gdy dziecko jest narażone na działanie promieni słonecznych. Upewnij się, że filtr jest wyższy niż 15, a krem nie zawiera kwasu p-aminobenzoesowego (PABA).*

Unikanie przechłodzenia

Dziecko powinno mieć na sobie o jedną warstwę odzieży więcej, niż posiadacz uzna za odpowiednią dla siebie. Gdy wystawiasz dziecko na działanie zimna, włóż mu następujące ubranie:

Ciepła czapka: Chroni przed utratą ciepła przez głowę.

Buty i rękawiczki: Ochraniają kończyny dziecka i pomagają w utrzymaniu ciepła wewnętrznego.

Skafander: Jest to zewnętrzna warstwa, która chroni dziecko przed zamarzniętymi i niezamarzniętymi opadami atmosferycznymi.

Kocyk: W zależności od stopnia mrozu otulenie dziecka w kocyk zapewni mu dodatkowe ciepło.

⚠️ **RADA EKSPERTA:** *Jeśli planujesz podróż samochodem, ogrzej pojazd przed zainstalowaniem bobasa w foteliku. Jeśli będziesz przebywać w samochodzie dłużej niż 15 minut, rozepnij skafander, a wewnętrzny termostat dziecka sam się wyreguluje.*

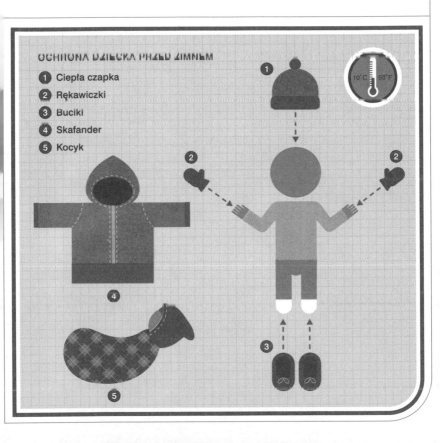

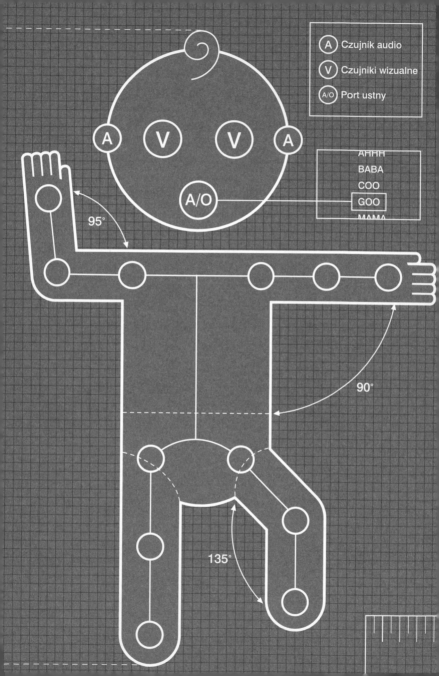

Rozdział 6

Wzrost
i rozwój

90°

Aparat poszukiwawczy mamy

Śledzenie działania elementów motorycznych i zmysłowych niemowlaka

Każdy model rozwija się w inny sposób. Poniżej znajduje się ogólna instrukcja uszczegółowiająca osiągnięcia modeli do pierwszego miesiąca życia, który stanowi niezwykle ważny czas dla dziecka. Jeśli twój model nie osiągnął tych kamieni milowych przed ukończeniem pierwszego miesiąca, z pewnością wkrótce tego dokona. Obserwuj go jednak pod kątem ewentualnego braku rozwoju (patrz s. 164).

Czujniki wizualne (wzrok)

Przed ukończeniem pierwszego miesiąca dziecko powinno osiągnąć wizualne zdolności pozwalające mu widzieć przedmioty znajdujące się w odległości do 30 cm. Dziecko powinno być także zdolne do „śledzenia" przesuwających się poziomo obiektów.

Dziecko będzie wolało wpatrywać się w twarze, a nie w przedmioty. Większość modeli będzie preferować czarno-białe obiekty, nie kolorowe. Są to ustawienia fabryczne, których użytkownik nie jest w stanie zmienić. Wraz ze wzrostem dziecka ustawienia te ulegną zmianie.

Czujniki audio (słuch)

Przed ukończeniem pierwszego miesiąca dziecko powinno mieć w pełni rozwinięty słuch. Bobas powinien rozpoznawać dźwięki i odwracać się w odpowiedzi na znajome głosy. Posiadacze, którzy chcą rozwijać czujniki audio bobasa, mogą zrobić to poprzez puszczanie muzyki, rozmowę lub śpiewanie. Dzięki tym działaniom przyspiesza się zaprogramowane tempo wzrostu bobasa.

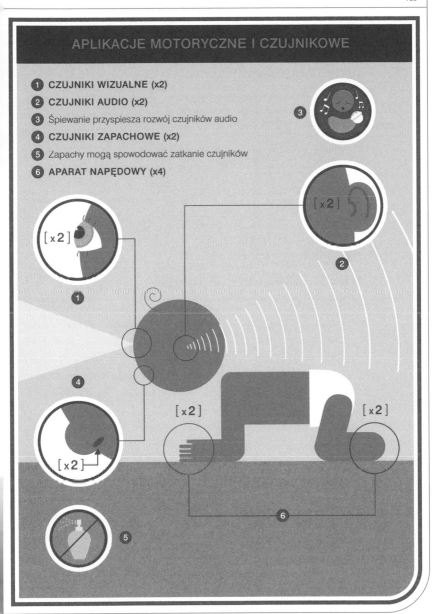

APLIKACJE MOTORYCZNE I CZUJNIKOWE

1 **CZUJNIKI WIZUALNE (x2)**

2 **CZUJNIKI AUDIO (x2)**

3 Śpiewanie przyspiesza rozwój czujników audio

4 **CZUJNIKI ZAPACHOWE (x2)**

5 Zapachy mogą spowodować zatkanie czujników

6 **APARAT NAPĘDOWY (x4)**

Aparat napędowy (ruch)

Pod koniec pierwszego miesiąca wszystkie modele powinny wiedzieć, że posiadają ręce, nogi, dłonie i stopy. Dziecko powinno umieć zaciskać ręce w pięści i unosić je do ust. Nabierze też nieco siły mięśni, które utrzymują głowę i szyję, ale nie będzie to jeszcze pełna moc. Choć dziecko może zaczynać podnosić głowę, wciąż będzie potrzebna pomoc z zewnątrz.

Użytkownicy, którzy zechcą usprawnić aparat napędowy, powinni spróbować kłaść niemowlę na brzuchu, co pomoże we wzmacnianiu mięśni głowy i szyi. Zabawa z rękoma i nogami bobasa pomoże mu w zrozumieniu, że są to jego części ciała.

Czujniki zapachowe (węch)

Pod koniec pierwszego miesiąca czujniki zapachowe dziecka rozpoznają matkę i zapach mleka. Posiadacze, którzy chcą ulepszyć działanie czujników zapachowych, podczas pierwszych kilku miesięcy życia dziecka nie powinni używać perfum ani wody kolońskiej, nie powinni też stosować zapachowych mydeł. Używanie tych produktów będzie zakłócać zdolności dziecka w zakresie rozpoznawania zapachu użytkownika.

⚠️ *RADA EKSPERTA: Posiadacze nie powinni martwić się, jeśli dziecko nie osiągnęło tych kamieni milowych w rozwoju przed ukończeniem pierwszego miesiąca. Każdy model rozwija się w swoim tempie. Jednakże jeśli dziecko nie reaguje na głośne dźwięki, nie rusza często rękoma i nogami, nie śledzi wzrokiem przedmiotów ani nie mruga, gdy jasne światło zaświeci mu w oczy, powinieneś skonsultować się z personelem serwisowym bobasa.*

Testowanie odruchów niemowlęcia

Dziecko przychodzi na świat z wieloma zainstalowanymi odruchami, które mają pomóc mu w przeżyciu i przyspieszeniu adaptacji do środowiska. Odruchem nazywamy niezależną od woli reakcję wynikającą z bezpośredniego przekazania impulsu nerwowego do mięśnia. Przeprowadź proste testy diagnostyczne zainstalowanych odruchów dziecka zgodnie z poniższą listą.

Odruch ssania

Ten odruch pomaga dziecku w zdobyciu pożywienia (w postaci mleka naturalnego lub modyfikowanego) w czasie pierwszych kilku tygodni życia. Zwykle pod koniec pierwszego miesiąca rozwija się w celowe i rozmyślne ssanie.

[1] Włóż palec, smoczek lub sutek w usta dziecka.

[2] Niemowlę powinno złapać obiekt między podniebienie a język, a potem poruszać językiem w przód i w tył, aby rozpocząć ssanie.

Odruch Rittiga

Ten odruch pomaga dziecku w znalezieniu jedzenia. W ciągu pierwszych kilku miesięcy powinien rozwinąć się w rozmyślny obrót w kierunku piersi lub butelki.

[1] Umieść dziecko w ramionach i pogłaszcz je po policzku. Niemowlę powinno obrócić się w kierunku bodźca i otworzyć aparat ustny w oczekiwaniu na jedzenie.

[2] Powtórz to samo z drugim policzkiem

Odruch Moro

W trakcie tego odruchu niemowlę wyprostowuje ręce i nogi, a następnie przyciąga je do klatki piersiowej. Odruch ten aktywuje się po emisji głośnych dźwięków lub wykonaniu gwałtownego ruchu. Odruch zanika w ciągu czterech do sześciu miesięcy po dostawie.

[1] Połóż dziecko na plecach. Jeśli leży spokojnie, ale nie śpi, kichnij lub głośno kaszlnij.

[2] Dziecko powinno natychmiast zareagować, wyprostowując ręce i nogi i przyciskając je do siebie.

⚠ *UWAGA: Nie wydawaj niezwykle głośnych, przerażających dźwięków, aby przetestować odruch Moro. Po prostu śledź zachowanie dziecka. Jeśli kaszel lub kichnięcie nie wywołują reakcji, może spowoduje ją szczekanie psa, pukanie w drzwi, podniesiony głos lub inny głośniejszy dźwięk.*

Odruchy chwytania

Są to odruchy dotykowe, które zachęcają dziecko do zaciśnięcia dłoni (odruch dłoniowy) lub podkurczenia palców u stóp (odruch podeszwowy). Pierwszy z tych odruchów rozwija się w celowe wyciąganie ręki po upływie sześciu miesięcy. Drugi odruch zanika po pierwszym roku życia.

[1] Potrzyj palcem otwartą dłoń dziecka. Niemowlę powinno zamknąć (lub próbować zamknąć) palce wokół twojego palca.

[2] Pogłaszcz palcem po stopie dziecka. Bobas powinien podwinąć (lub próbować podwinąć) palce.

[3] Powtórz to samo w przypadku drugiej dłoni i stopy.

Odruch chodzenia

Dzięki temu odruchowi dziecko próbuje stanąć na dwóch nogach bez względu na to, czy są one w stanie je utrzymać. Posiadacze muszą je podtrzymać. Większość modeli będzie starać się iść w kierunku posiadacza. Odruch chodzenia zaniknie po kilku miesiącach, zastąpiony celowym stawaniem i chodzeniem, które pojawi się mniej więcej około pierwszego roku życia.

[1] Złap dziecko pod pachami, tak by znajdowało się twarzą do ciebie. Podtrzymaj ręką głowę, by nie opadła do tyłu.

[2] Usiądź na krześle i unieś dziecko do pozycji stojącej. Umieść stopy bobasa na płasko na swoich udach.

[3] Niemowlę powinno przycisnąć stopy tak, jakby chciało się na nich utrzymać.

Toniczny odruch szyjny

Ten odruch pomaga dziecku w skoordynowaniu ruchów ręki i głowy. Zwykle zanika przed końcem szóstego miesiąca życia.

[1] Połóż dziecko na plecach.

[2] Delikatnie obróć głowę dziecka na prawo.

[3] Prawa ręka dziecka powinna wyciągnąć się na prawo. Lewa może zgiąć się w kierunku głowy.

[4] Obróć głowę dziecka na lewo. Lewe ramię powinno wyciągnąć się, a prawe zgiąć do góry.

Odruchy obronne

Są to odruchy, które umożliwiają niemowlęciu obronę przed prawdziwymi i wymyślonymi napastnikami. Odruchy obronne nie znikają, dopóki nie rozwinie się lepsza kontrola motoryczna.

[1] Połóż dziecko na plecach.

[2] Trzymaj zabawkę około 30 cm nad głową dziecka i powoli zbliżaj wprost do twarzy bobasa.

[3] Niemowlę powinno obrócić głowę na jeden lub drugi bok.

Kamienie milowe w pierwszym roku rozwoju dziecka

Gdy dziecko się rozwija, zaczyna osiągać różne kamienie milowe rozwoju. Jednak ze względu na to, że w zależności od modelu bobasy różnią się między sobą, nie każde dziecko osiągnie określony kamień milowy w danym czasie.

Kamienie milowe wymienione na następnych stronach określają średnią osiągnięć różnych modeli. Nie niepokój się, jeśli twoje dziecko nie spełnia założeń średniej. Zawsze istnieje rozbieżność wśród charakterystyk różnych modeli i oddalenie od średniej nie świadczy korzystnie lub niekorzystnie o zdolnościach dziecka. Uwaga: każdy kamień milowy jest niezależny od innego. Niektóre dzieci wcześnie zaczynają chodzić, ale późno mówić. Jeśli rzeczywiście martwisz się rozwojem dziecka, skontaktuj się z personelem serwisowym bobasa.

Kamienie milowe w trzecim miesiącu życia

Przed ukończeniem trzeciego miesiąca większość modeli będzie:

- rozpoznawać wygląd i głos posiadacza (posiadaczy)
- uśmiechać się w odpowiedzi na głos lub widok posiadacza (posiadaczy)
- interesować się bardziej skomplikowanymi wzorami wizualnymi
- interesować się twarzami nieznajomych
- umieć kontrolować pozycję głowy
- spać przez dłuższy czas
- rozwijać bardziej zaawansowaną koordynację ruchową
- częściej wyciągać rękę lub łapać przedmioty

SYGNAŁY OSTRZEGAWCZE: Jeśli któryś z poniższych punktów dotyczy twojego dziecka, które ukończyło 90 dzień życia, powinieneś skontaktować się z personelem serwisowym dziecka.

- Niemowlę robi zeza.
- Bobas ma problemy z podążaniem wzrokiem za przedmiotem.
- Niemowlę nie reaguje na głośne dźwięki lub głos posiadacza.
- Bobas nie używa (lub nie próbuje używać) dłoni.
- Dziecko ma problemy z utrzymaniem głowy.

Kamienie milowe w szóstym miesiącu życia

Przed ukończeniem szóstego miesiąca większość modeli będzie.

- umieć skupić uwagę na małych przedmiotach
- patrzeć w kierunku źródła dźwięku
- powtarzać i próbować naśladować nieskomplikowane dźwięki wydawane przez posiadacza
- jeść rzadziej i próbować jeść pożywienie stałe
- bawić się samo, nie płacząc, przez dłuższy czas

- często żuć przedmioty
- poruszać się bardziej niezależnie, uczyć się przewracać z pleców na brzuch i siadać (z pomocą posiadacza)
- zaczynać badanie świata rękami

SYGNAŁY OSTRZEGAWCZE: Jeśli któryś z poniższych punktów dotyczy twojego dziecka, które ukończyło szósty miesiąc życia, powinieneś skontaktować się z personelem serwisowym dziecka.

- Dziecko nie „naśladuje" dźwięków posiadacza w odpowiedzi na jego próby nawiązania kontaktu.
- Niemowlę nie łapie przedmiotów i nie unosi ich do ust.
- Bobas nadal ma aktywny odruch Moro i toniczny odruch szyjny (patrz s. 162 i 163).

Kamienie milowe w dziewiątym miesiącu życia

Przed ukończeniem dziewiątego miesiąca większość modeli będzie:

- szukać zabawek, które zniknęły z pola widzenia
- smucić się, gdy mu powiesz „do widzenia" i wyjdziesz
- próbować naśladować słowa, gaworząc
- poruszać się samodzielnie, uczyć raczkować lub podciągać do wstania
- zaczynać manipulowanie przedmiotami i rozumieć, jak działają

SYGNAŁY OSTRZEGAWCZE: Jeśli któryś z poniższych punktów dotyczy twojego dziecka, które ukończyło dziewiąty miesiąc życia, powinieneś skontaktować się z personelem serwisowym dziecka:

- Dziecko „ciągnie" za sobą jedną stronę ciała, gdy raczkuje.
- Niemowlę nie gaworzy, odpowiadając na bardziej skomplikowane dźwięki.

Kamienie milowe
w dwunastym miesiącu życia

Przed ukończeniem dwunastego miesiąca większość modeli będzie:

- szukać i znajdować przedmioty, które wymienisz
- przychodzić do ciebie, gdy zawołasz je z drugiego pokoju
- wypowiadać słowa (w miarę wyraźnie) inne niż „mama" i „tata"
- odpowiadać ci, gdy mówisz „nie"
- poruszać się bardziej niezależnie niż dotychczas, uczyć się chodzić i wspinać
- wskazywać miejsca, do których chce pójść

SYGNAŁY OSTRZEGAWCZE: Jeśli któryś z poniższych punktów dotyczy twojego modelu, który ukończył dwunasty miesiąc życia, powinieneś skontaktować się z personelem serwisowym dziecka.

- Dziecko nie artykułuje żadnych dźwięków.
- Dziecko nie naśladuje żadnego z twoich gestów.
- Dziecko nie umie stać bez pomocy.

Ocena rozwoju dziecka

Monitorowanie rozwoju fizycznego bobasa odbywa się poprzez nanoszenie pomiarów na siatkę centylową. Punkt na centylu opisuje, jak rozwija się twój model w porównaniu ze średnią innych modeli w tym samym wieku i o tej samej płci. W centylach uwzględnia się trzy zmienne porównywane: wagę, wysokość (długość) i obwód głowy.

Na przykład, jeśli twój model znajduje się w dwudziestym centylu wagi, oznacza to, że waży więcej niż dwadzieścia procent innych dzieci w kraju i mniej niż osiemdziesiąt procent pozostałych niemowląt. Zwróć uwagę na to, że wiele modeli znajduje się w różnych centylach, uwzględniając różne pomiary.

[1] Zważ dziecko. Najlepszy sposób ważenia polega na tym, że ważysz najpierw siebie, a następnie ważysz się ponownie z dzieckiem w ramionach. Odejmij swoją wagę od drugiego pomiaru, by uzyskać wagę niemowlęcia. Personel serwisowy podczas wizyt rutynowo waży dzieci.

[2] Zmierz długość (wzrost) bobasa. Rozłóż papier na płaskiej powierzchni i ułóż na nim dziecko. Zaznacz na papierze miejsce, dokąd sięga czubek głowy. Wyprostuj nogi dziecka i zaznacz na papierze, dokąd sięgają stopy. Umieść obydwa oznaczenia w takiej samej odległości od bocznego skraju papieru, by pomiar był dokładny. Zmierz odległość między dwoma znakami, by określić wzrost dziecka.

[3] Zmierz obwód głowy dziecka. Owiń miarkę krawiecką wokół najszerszej części głowy bobasa, tuż nad uszami. Za każdym razem mierz głowę w tym samym miejscu.

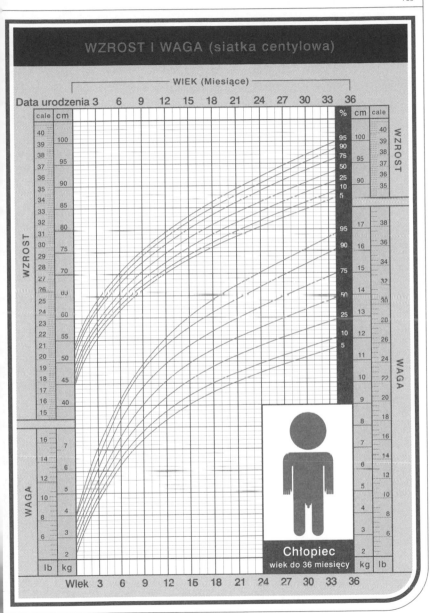

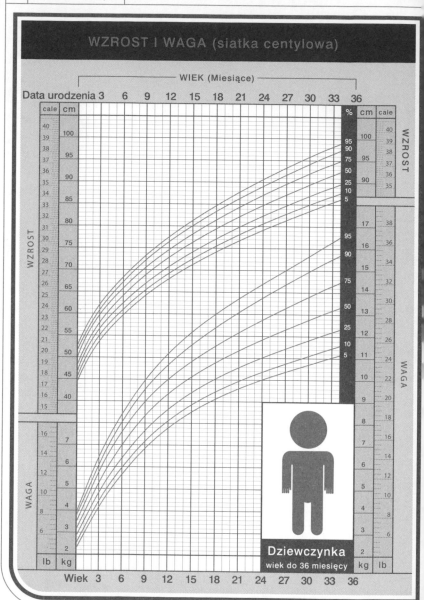

[4] Nanieś pomiary na wykres. Użyj diagramów ze strony 169-170 w celu określenia centylów dziecka, by poznać, jak przedstawia się twój bobas w porównaniu z innymi działającymi modelami.

RADA EKSPERTA: Nie martw się przesadnie o centyle bobasa. Dziecko, które znajduje się w dziesiątym centylu dla wzrostu, może wyrosnąć na całkiem wysokiego człowieka. Najważniejszymi czynnikami w określaniu wzorca wzrostu dziecka jest wzorzec wzrostu rodziców. Ludzie, którzy byli mali w wieku niemowlęcym i w czasie dzieciństwa, mogą mieć podobnie małe dzieci.

Komunikacja werbalna

Gdy dziecko osiągnie szósty miesiąc życia, zda sobie sprawę, że posiada wbudowaną zdolność mówienia twoim językiem. Mówienie do dziecka zaktywizuje ten moment. Początkowo bobas będzie naśladować wydawane przez ciebie dźwięki, a później nauczy się mówić.

Niektórzy posiadacze wolą mówić do dziecka swoim naturalnym tonem i używać zwykłego słownictwa. Dziecko może mieć problemy z powtarzaniem niektórych dźwięków, ale w końcu nauczy się poprawnych nazw miejsc, rzeczy i ludzi.

Inni użytkownicy wolą mówić do dziecka „dziecinnie". Ten styl komunikacji sprawia, że niemowlęciu łatwiej jest powtarzać dźwięki, ale w przyszłości może prowadzić do dezorientacji w zakresie prawidłowego nazywania rzeczy, miejsc i ludzi.

Zaleca się posiadaczom stosowanie połączenia tych dwóch technik. Aby osiągnąć optymalne rezultaty, mów głosem o ton wyżej od normalnego. Wyższe głosy są łatwiejsze do zarejestrowania przez czujniki audio bobasa.

Gaworzenie

Dziecko dostarczane jest z zainstalowaną wcześniej umiejętnością gaworzenia, której przejawami są:

- Kuuu
- Guuu
- Aaa

Jeśli dziecko emituje którykolwiek z tych dźwięków, należy odpowiedzieć mu tym samym. Zachęca to dziecko do wydawania niektórych dźwięków, a nawet uczy podstaw konwersacji.

Mowa

Przed upływem szóstego miesiąca niektóre modele zaczynają wydawać dźwięki przypominające fragmenty słów dorosłych, takie jak „da", „ba", „ma" i „ladl-ladl". Aby pomóc bobasowi w przekształceniu tych dźwięków w słowa, zastosuj poniższe techniki.

[1] Powtarzaj dźwięki wydawane przez bobasa.

[2] Zachęcaj, by dziecko cię naśladowało. Ciesz się i zachęcaj do powtarzania, kiedy wyartykułuje wypowiedziany przez ciebie dźwięk.

[3] Odpowiadaj na dźwięki dziecka w naturalnej mowie. Mów: „Naprawdę? Rzeczywiście tak jest?" albo „Chyba masz rację". Uśmiech i okazywanie entuzjazmu zachęci dziecko do kontynuowania rozmowy.

RADA EKSPERTA: Podczas rozmowy z dzieckiem wielu posiadaczy opisuje wykonywane przez siebie czynności. Opisy te mogą mieć formę stwierdzeń: „Podaję ci butelkę". Dziecko doceni poświęconą mu uwagę i może szybciej nauczyć się posługiwania językiem.

Rozwój motoryczny

W miarę rozwijania zdolności motorycznych dziecka pojawi się umiejętność raczkowania, podciągania, chodzenia, a nawet wspinania. Dopóki bobas nie opanuje całkowicie tych zdolności, należy uważać na niego i pilnować, by sobie nie wyrządził krzywdy.

Raczkowanie

Około dziewiątego miesiąca dziecko zaczyna raczkować. Zauważysz, jak sunie do tyłu, preferując jedną stronę ciała, potyka się o ręce lub upada, gdy zawraca. Są to normalne objawy i nie powinny być uznawane za usterki. Niektóre modele nigdy nie raczkują. To też nie jest usterka – wiele bobasów turla się lub czołga, dopóki nie nauczy się chodzić. Wszystkie modele opracowują jakiś sposób poruszania się przed nauką chodzenia. Gdy dziecko ćwiczy raczkowanie, postępuj zgodnie ze wskazówkami:

[1] Stój na wyciągnięcie ręki od dziecka, dopóki nie opanuje biegle raczkowania.

[2] Stój po „słabszej" stronie dziecka. Zauważysz, że dziecko woli jedną stronę od drugiej. Jeśli tak jest, dziecko może częściej upadać na słabszą stronę.

[3] Ogranicz możliwości raczkowania dziecka do miękkich powierzchni, takich jak dywany, chodniki lub trawa.

Podciąganie się

Gdy dziecko opanowało już raczkowanie, może zacząć podciągać się przy meblach, regałach lub chwytać się posiadacza. Dopóki nie opanowało doskonale podciągania się, należy zastosować poniższe środki ostrożności, aby zapobiec wypadkom i zranieniu się.

[1] Stwórz strefę miękkiego upadku. Połóż poduszkę lub miękki kocyk u stóp dziecka, gdy zaczyna się podciągać.

[2] Podtrzymaj dziecko. Gdy bobas zaczyna się podciągać, upadnie w nieprzewidywalnym kierunku, dopóki nie rozwinie się jego równowaga, koordynacja i siła rąk.

Wspinanie

Dziecko nie musi wcale być mistrzem chodzenia, by zacząć się wspinać. Raczkowanie i podciąganie może prowadzić do tego, że dziecko mniej więcej w dwunastym miesiącu życia zacznie wspinać się na schody, meble i inne przedmioty w domu.

[1] Bądź w pobliżu dziecka. Bobas może poradzić sobie ze wspięciem się na przedmiot, ale większość dzieci nie umie z niego zejść.

[2] Podtrzymuj niemowlę, gdy się wspina. Bobas może nie uwzględnić wbudowanego środka ciężkości i upaść na twarz, będąc w połowie drogi ponad przedmiotem. Podtrzymuj dziecko, dopóki nie oswoi się z tą cechą.

[3] Zawsze nadzoruj dziecko podczas wspinania się na schodach. Upadek na klatce schodowej może być bardzo niebezpieczny dla niemowlęcia. Zawsze trzymaj rękę na nim i obserwuj, czy nie upada do tyłu lub na boki.

RADA EKSPERTA: Ucz niemowlę schodzenia tyłem ze schodów i krzeseł. Zalecamy ręczne obrócenie dziecka i pomoc w zejściu. Wkrótce dziecko rozwinie zdolność samodzielnego radzenia sobie, ale wciąż będzie występować konieczność monitorowania jego zachowania.

MOBILNOŚĆ DZIECKA

1. **RACZKOWANIE**
2. **PODCIĄGANIE SIĘ**
3. **WSPINANIE**
4. **CHODZENIE**
5. Buty mogą zakłócać mobilność pionową

Chodzenie

Gdy w wieku około dwunastu miesięcy dziecko stawia swoje pierwsze kroki, nauczy się też podpierania (po upadku do przodu) lub upadania na pośladki (po upadku do tyłu). Mimo wszystko posiadacz powinien przedsięwziąć kroki zaradcze w celu przeciwdziałania zranieniom.

[1] Pozwól bobasowi chodzić na bosaka. Nie spiesz się z dodaniem butów do garderoby dziecka. Chodzenie boso pozwoli niemowlęciu poczuć, jak się chodzi. Buty na początku będą w tym przeszkadzać. Używaj miękkich elastycznych butów jedynie wtedy, gdy dziecko wychodzi poza dom.

[2] Usuwaj przedmioty spod nóg dziecka. Najprawdopodobniej skupi się ono na dotarciu do wyznaczonego celu – ciebie lub ulubionej zabawki – i nie będzie patrzeć pod nogi.

[3] Uważaj na ostre lub twarde krawędzie mebli. Mogą wyrządzić krzywdę.

Sposoby radzenia sobie z upadkami

Wszystkie modele mają większą odporność, niż sobie to wyobrażają posiadacze, i nieuniknione upadki nie powinny wyrządzić im szkody. Gdy bobas upada przy tobie, postępuj zgodnie z poniższymi wskazówkami.

[1] Nie panikuj. Dziecko wyczuwa strach i panikę. Im większy spokój zachowasz, tym lepiej dziecko zareaguje na upadek.

[2] Idź ku dziecku powoli (jeśli upadek nie był poważny). Jeśli dziecko zobaczy, że posiadacz biegnie do niego, może się wystraszyć.

[3] Po drodze pocieszaj bobasa słowami: „Nic się nie stało, zaraz wstaniesz".

[4] Podnieś dziecko, jeśli potrzebuje dodatkowego pocieszenia.

[5] Sprawdź, czy dziecku nic się nie stało, i opatrz w razie potrzeby.

[6] Odwróć uwagę dziecka, jeśli nadal płacze. Nowa zabawka może sprawić, że dziecko zapomni o upadku.

Sposoby radzenia sobie z rozłąką

Gdy dziecko zacznie rozumieć, kim jesteś i jak bardzo jest od ciebie zależne, może czuć niepokój, gdy wychodzisz. Jest to powszechny wśród bobasów strach przed rozłąką.

Emocja ta pojawia się, gdy niemowlę ma osiem do dziesięciu miesięcy. Dziecko może wydawać się ekstrawertykiem przy posiadaczu i introwertykiem przy nieznajomych. Dziecko może płakać, gdy cię nie ma w pobliżu, nawet jeśli trwa to tylko pięć minut. Niemowlę może też budzić się w środku nocy i wzywać ciebie.

Typowy strach przed rozłąką rozwija się, a potem mija około piętnastego miesiąca. Do tego czasu stosuj poniższe strategie, które pomogą tobie i dziecku poradzić sobie z nowymi odczuciami.

[1] Pocieszaj bobasa, gdy czuje strach.

[2] Poproś nieznajomych, by mówili cicho i powoli zbliżali się do dziecka.

[3] Wprowadź obiekt zastępczy (patrz s. 122).

[4] Powoli zaznajamiaj dziecko z nowymi miejscami. Nie jest to idealny czas na umieszczenie dziecka w żłobku. Jeśli musisz umieścić dziecko w takiej placówce, spędź tam z niemowlęciem pierwszych kilka dni. Potem zacznij

wychodzić na krótkie pięcio- lub dziesięciominutowe przerwy. Zawsze mów „do widzenia", aby zbudować zaufanie.

Sposoby radzenia sobie z napadami złego humoru

Gdy dziecko zaczyna rozumieć otaczający świat, może poczuć zdenerwowanie, próbując przekazać, czego chce. Ta frustracja często manifestuje się napadami złego humoru. Zdarzają się one zwykle między dziesiątym a dwunastym miesiącem życia. Bobas może płakać lub zawodzić, wyciągać ręce po przedmioty, które chce trzymać, kopać, bić pięściami lub machać ramionami. W przypadku niektórych modeli napady złego humoru mogą nie ustępować przez kilkanaście lat. Zastosuj poniższe techniki, aby poradzić sobie z napadami we wczesnym okresie życia.

[1] W ciągu pierwszego roku życia zaznajamiaj dziecko ze słowem „nie". Dziecko może nie pojmować jego znaczenia, dopóki nie ukończy jednego roku. Używaj go rzadko, wyłącznie w ważnych stwierdzeniach, na przykład „Nie dotykaj. To jest gorące!" lub: „Nie jedz tego, to robak!" Siła „nie" okaże się pożyteczna, gdy dziecko zacznie mieć napady złego humoru.

[2] Próbuj jak najwięcej wyjaśniać. Wszystkie modele posiadają wbudowane funkcje, które pozwalają na zrozumienie ustnych wyjaśnień, dlaczego nie mogą bawić się nożem lub dotykać piecyka. Te wyjaśnienia pozwolą dziecku respektować granice.

[3] Nie próbuj zmieniać zachowania dziecka, reagując emocjonalnie na płacz lub zawodzenie. To nauczy dziecko, że jego zachowanie wzbudza u ciebie reakcję. Jeśli nic nie zagraża bezpieczeństwu dziecka, wcale nie reaguj na jego płacze lub krzyki.

[4] Skup się na pozytywnym motywowaniu. Chwal dziecko, gdy zachowuje się w odpowiedni sposób. Klaszcz i uśmiechaj się, gdy samo odkłada zabawkę na miejsce.

[5] Bądź cierpliwy. Personel serwisowy nazywa takie napady „fazą". Kiedyś miną.

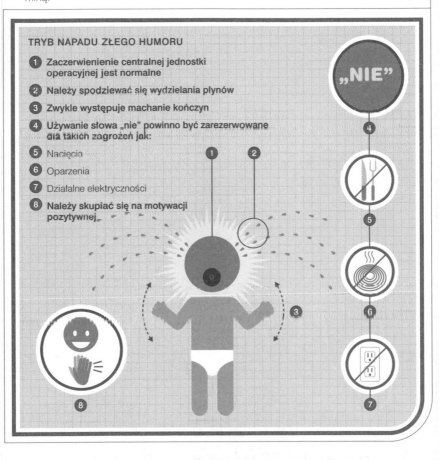

TRYB NAPADU ZŁEGO HUMORU

1. Zaczerwienienie centralnej jednostki operacyjnej jest normalne
2. Należy spodziewać się wydzielania płynów
3. Zwykle występuje machanie kończyn
4. Używanie słowa „nie" powinno być zarezerwowane dla takich zagrożeń jak:
5. Nacięcia
6. Oparzenia
7. Działalne elektryczności
8. Należy skupiać się na motywacji pozytywnej

„NIE"

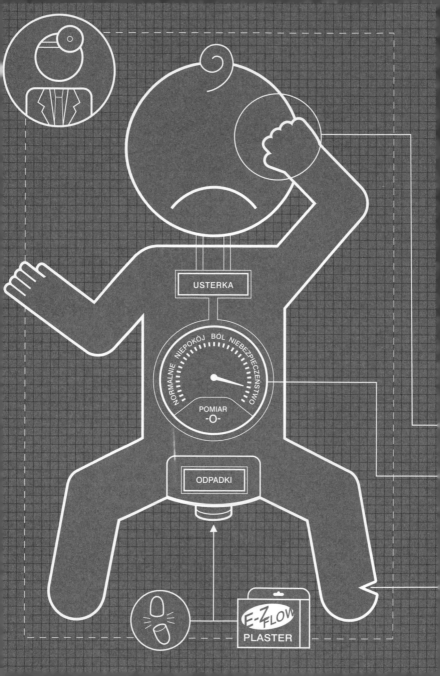

Rozdział 7

Bezpieczeństwo i postępowanie w nagłych wypadkach

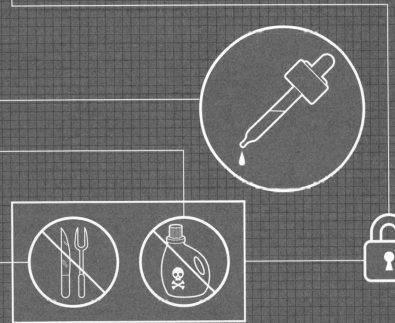

Sposoby zabezpieczenia środowiska niemowlaka

Wraz ze wzrostem mobilności, około dziewiątego miesiąca życia, dziecko zaczyna odkrywać otoczenie. Upewnij się, że twój model będzie bezpieczny, modyfikując wnętrze domu. Niektórzy posiadacze wynajmują specjalny personel, który wykonuje zabezpieczenia, ale użytkownicy mogą też z łatwością sami przeprowadzić to zadanie. Gdy posiadacz zrozumie podstawowe założenia zabezpieczania środowiska, może poradzić sobie z zabezpieczeniem innych domów lub pomieszczeń, odwiedzanych przez dziecko i użytkownika.

Ogólne strategie bezpieczeństwa

[1] Znajdź przedmioty, które można połknąć i usuń je z otoczenia.

[2] Zakryj gniazdka elektryczne i zabezpiecz kable. Użyj zatyczek, aby ograniczyć dostęp do nieużywanych gniazdek. Użyj listew zasłaniających kable do zakrycia przewodów przy podłodze lub na ścianie.

[3] Zamontuj blokady w drzwiach wewnętrznych. Za pomocą specjalnych urządzeń, dostępnych w sklepach z artykułami przemysłowymi, zapobiegniesz całkowitemu otworzeniu lub zamknięciu drzwi. Dzięki temu palce dziecka nigdy nie zostaną przytrzaśnięte, a dziecko nie zamknie się samo w pokoju.

[4] Zainstaluj zamki na oknach. Jeśli twoje okna otwierają się na klamki, usuń je i przechowuj w niedostępnym miejscu.

[5] Umieść wysoko sznurki od żaluzji, ponieważ mogą stworzyć niebezpieczeństwo uduszenia dziecka.

[6] Zainstaluj bramki przy wejściach na schody lub w drzwiach pomieszczeń, do których nie wolno dziecku wchodzić. Instaluj dociskowe bramki tylko u podnóża schodów. Bramki u szczytu schodów powinny być zawsze na stałe zamontowane do ściany.

[7] Zabezpiecz regały z książkami lub meble, które mogą się przewrócić. Jeśli dziecko będzie próbować wstać, trzymając się jednego z takich mebli, może pociągnąć je na siebie.

[8] Często odkurzaj podłogę i dywany. Wdychany kurz i pył może prowadzić do usterek oddechowych, zaś brud przenoszony z rąk do ust niemowlęcia może sprawić, że zachoruje.

[9] Zainstaluj przedmioty przeciwpożarowe. Gaśnice, czujniki dymu i tlenku węgla oraz drabiny powinny być sprawne i umieszczone w łatwo dostępnych miejscach.

[10] Zabezpiecz kratki wentylacyjne i nawiewy ciepłego powietrza. Zainstaluj plastikowe osłonki na nawiewach, aby uniknąć oparzeń. Jeśli kratka wentylacyjna znajduje się w podłodze, upewnij się, że została na tyle mocno zamontowana, by utrzymać ciężar dziecka. Wymień w razie potrzeby.

⚠️ *RADA EKSPERTA: Jeśli mieszkasz w starym budynku lub na ścianach znajduje się odpadająca lub krusząca się farba, przebadaj ją na obecność ołowiu. Usuń odpadającą farbę i wszelkie materiały zawierające ołów.*

Strategie kuchenne

Gdy gotujesz lub pieczesz, zaleca się trzymanie bobasa z dala od kuchni. W celu zabezpieczenia antybobasowego kuchni zastosuj poniższe środki ostrożności.

[1] Umieść wszystkie noże, plastikowe torby i ostre narzędzia kuchenne w zamkniętej szufladzie.

[2] Umieść gdzieś wysoko środki czyszczące, gaśnice i inne przedmioty, które grożą zatruciem.

[3] Zabezpiecz wszelkie urządzenia. Umieść zamek na lodówce i plastikowe osłony na kurkach palników kuchenki. Upewnij się, że zamek zmywarki do naczyń i kompaktora śmieci działa prawidłowo. Wyłącz z kontaktu wszelkie nie używane w danej chwili urządzenia.

[4] Ćwicz bezpieczne gotowanie. Używaj tylnych palników i kieruj rączki rondli ku ścianie.

[5] Stwórz bezpieczną szufladę lub szafkę, którą dziecku będzie wolno otwierać. Wypełnij ją drewnianymi łyżkami, małymi garnuszkami i patelniami, plastikowymi miskami i innymi bezpiecznymi przedmiotami.

Strategie łazienkowe

Łazienka jest pełna twardych i potencjalnie śliskich powierzchni. Dziecko nie powinno samodzielnie zwiedzać tego pomieszczenia. Na czas, gdy bobas przebywa w łazience, podejmij poniższe środki bezpieczeństwa.

[1] Zainstaluj zamek na sedesie. Wypracuj zwyczaj zamykania deski klozetowej i klapy. Dzięki zamkowi przymocujesz je do muszli.

[2] Usuń z zasięgu rąk wszelkie kosmetyki. Umieść lekarstwa, balsamy, pasty do zębów i płyny do płukania ust w szafce, do której nie dosięgnie dziecko. Aby dodatkowo zabezpieczyć szafkę, zamknij ją na zamek.

[3] Zainstaluj gniazdka z wyłącznikiem różnicowo-prądowym (GFCI). Jeśli gniazdko staje się przeciążone lub zamoknie, obwód przerywa się automatycznie i pozbawia gniazdko prądu.

[4] Wyłączaj z gniazdka urządzenia, których używasz w łazience, i przechowuj je poza zasięgiem dziecka.

[5] Unikaj umieszczania w koszu na śmieci potencjalnie niebezpiecznych przedmiotów, takich jak żyletki lub puste butelki po kosmetykach.

[6] Połóż chodnik lub wykładzinę na twardych powierzchniach lub kafelkach.

[7] Upewnij się, że wanna nie stwarza niebezpieczeństwa (patrz s. 144).

Strategie sypialniane

[1] Jeśli dziecko spędza wiele czasu w łóżku posiadacza, zamontuj szczebelki, aby zapobiec spadnięciu bobasa z łóżka.

[2] Zabezpiecz miejsce pod łóżkiem. Usuń duże pudełka, które mogą stać się pułapką dla bobasa i uwięzić go pod łóżkiem. Usuń małe przedmioty, które mogą grozić zadławieniem.

Strategie salonowe

[1] Zabezpiecz kominek. Zamontuj osłony, by ograniczyć dziecku możliwość podejścia do niego. Usuń i przechowuj poza zasięgiem dziecka wszelkie klucze lub przyciski, dzięki którym uruchamia się kominek gazowy. Przechowuj zapałki do kominków opalanych drewnem poza zasięgiem bobasa.

[2] Zainstaluj osłony na ostrych kątach lub krawędziach niskich stolików. Rozważ zamianę szklanego, kamiennego, metalowego lub zwykłego prostokątnego stolika na okrągły drewniany stoliczek.

Strategie jadalniane

[1] Usuń obrusy. Jeśli używasz ich podczas kolacji lub przyjęć, usuń je natychmiast po imprezie. Jeśli niemowlę złapie za obrus, przedmioty stojące na stole mogą spaść na dziecko.

[2] Umieść wszelkie napoje alkoholowe w wysoko umieszczonej, zamykanej szafce.

Strategie podróżnicze

Ważnym elementem podróży jest zabezpieczenie nowego miejsca. Nadzoruj dziecko uważniej niż zwykle, dopóki nie zabezpieczysz nowego miejsca.

Kompletowanie zestawu pierwszej pomocy dla dziecka

Wszyscy posiadacze powinni skompletować apteczkę, w której znajdą się narzędzia, łatki i akcesoria, zaprojektowane do opatrywania dziecka w razie wypadku. Niektórzy posiadacze kompletują jeden zestaw domowy, drugi samochodowy i przenośny zestaw do podróży. Apteczki powinny znajdować się w łatwo dostępnym miejscu, ale poza zasięgiem bobasa. Zaleca się sprawdzanie apteczki raz w miesiącu i wymianę środków, którym skończyła się data ważności, lub innych przeterminowanych zapasów. Kup plastikowy pojemnik na małe przedmioty i trzymaj większe w jego pobliżu.

Zestaw pierwszej pomocy powinien zawierać:

- Bandaże, plaster i ochraniacze
- Sterylną gazę w formie bandaży
- Waciki
- Tampony
- Obłożenie chirurgiczne
- Plaster chirurgiczny
- Termometr cyfrowy
- Nożyczki
- Pęsetę
- Zakraplacz lub dozownik
- Latarkę z zapasowymi bateriami
- Zapasowe prześcieradło
- Krem antyseptyczny
- Maść z antybiotykiem
- Balsam galmanowy
- Balsam przeciwsłoneczny wolny od PABA (filtr 15 lub wyższy)
- Maść lub spray na oparzenia
- Hydrokortizon (maść 1% lub mniej)

- Wazelinę
- Mydło
- Butelkę czystej wody
- Ibuprofen lub acetaminofen
- Diphenhydraminę lub inny lek antyhistaminowy
- Lekarstwo ułatwiające oddychanie
- Syrop przeciwkaszlowy
- Inne leki właściwe dla twojego modelu ze względu na jego stan zdrowia
- Instrukcję manewru Heimlicha lub sztucznego oddychania i masażu serca
- Środek z ipekakuaną lub zestaw przeciw zatruciom
- Listę awaryjnych numerów telefonicznych
- Sterylne chusteczki do rąk

Manewr Heimlicha, sztuczne oddychanie i masaż serca

W celu usunięcia przedmiotu, który utkwił w drogach oddechowych dziecka stosuje się manewr Heimlicha. Jeśli dziecko przestało oddychać, masaż serca i sztuczne oddychanie (CPR) przywróci tę funkcję. Wszyscy opiekunowie, i matka, i ojciec, powinni znać obydwie procedury. Lokalne agencje zdrowotne mogą oferować darmowe szkolenie.

Identyfikacja problemów oddechowych

[1] Obserwuj dziecko, aby nie przeoczyć sygnałów ostrzegawczych. Czy bobas ma problemy z oddychaniem? Czy jego skóra nabiera niebieskiego koloru? Czy krztusi się, traci przytomność, nie reaguje na bodźce?

RADA EKSPERTA: Zwykle słychać lub czuć oddech dziecka. Jeśli podsuniesz pod nos i usta nietłukące się lusterko, powierzchnia szkła zaparuje, jeśli dziecko oddycha.

[2] Poleć drugiej osobie, by zadzwoniła po pogotowie. Jeśli jesteś sam, wykonuj przez minutę manewr Heimlicha lub masaż serca i sztuczne oddychanie, potem zadzwoń i wróć do dziecka.

[3] Oceń problem. Czy dziecko oddycha? Czy znajdowało się w trakcie posiłku? Czy obiekt utkwił mu w gardle? Jeśli tak się stało, przeprowadź manewr Heimlicha (patrz następna strona).

Czy dziecko ma trudności z oddychaniem? Czy słyszysz świszczący oddech, krztuszenie się lub kaszel? Jeśli tak, posadź dziecko na kolanach i niech spróbuje samo usunąć obiekt dzięki naturalnym odruchom kaszlu i odkrztuszania. Jeśli dławienie się nadal trwa, po dwóch, trzech minutach zadzwoń po pogotowie. Nie wykonuj w tej sytuacji manewru Heimlicha, gdyż ryzykujesz zablokowaniem przedmiotu w drogach oddechowych.

Jeśli bobas stracił przytomność, ale nie wydaje się mieć obcego przedmiotu w drogach oddechowych, przeprowadź sztuczne oddychanie i masaż serca (patrz s. 191).

Jeśli dziecko przechodzi chorobę lub ma alergie, które mogą wpływać na zdolność oddychania, nie przeprowadzaj manewru Heimlicha ani CPR. Natychmiast zadzwoń po pogotowie i postępuj zgodnie z ich wskazówkami.

Wykonanie manewru Heimlicha

[1] Usiądź i wyprostuj jedną nogę.

[2] Trzymaj tak dziecko na ręku, by leżało wzdłuż twojego ramienia brzuchem do dołu. Dłonią podtrzymuj szyję i głowę dziecka. Podtrzymuj przedramię i dziecko wyprostowaną nogą. Dzięki temu dziecko będzie leżało w pozycji z głową niżej niż reszta ciała.

[3] Drugą ręką wykonuj uderzenia w plecy (Rys. A). Uderzaj delikatnie, lecz zdecydowanie między łopatki dziecka. Jeśli przeszkoda wypadnie z ust, przerwij wykonywanie manewru. Jeśli dławienie nie ustępuje, przejdź do następnego kroku.

[4] Obróć dziecko tak, by leżało twarzą do góry wzdłuż wyprostowanej nogi. Głowa powinna znaleźć się w pobliżu twojego kolana. Obróć głowę dziecka na bok. Dzięki temu dziecko będzie leżało w pozycji z głową niżej niż reszta ciała. Podtrzymuj głowę i szyję bobasa.

[5] Wykonuj uciski (Rys. B). Wyobraź sobie poziomą linię, przechodzącą przez sutki dziecka. Umieść dwa palce około 1,3 cm pod tą linią, na mostku bobasa. Uciskaj delikatnie, lecz zdecydowanie pięć razy.

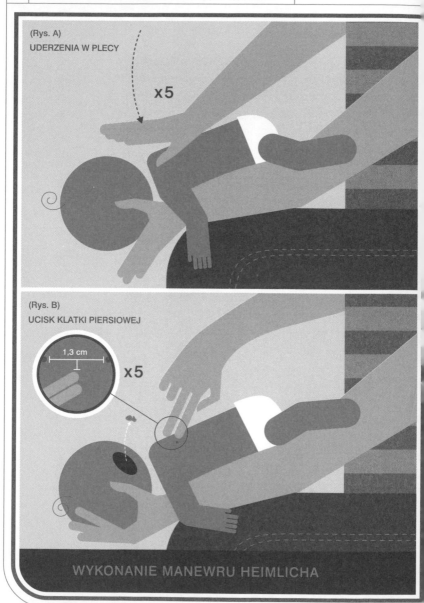

[6] Powtarzaj kroki od 2 do 5, aż oczyścisz drogi oddechowe.

[7] Sprawdzaj oddech. Nie wkładaj palca w usta dziecka i nie poruszaj nim – może to spowodować wepchnięcie przedmiotu z powrotem, do gardła.

[8] Jeśli nie możesz oczyścić dróg oddechowych, powtarzaj kroki od 2 do 7 do przyjazdu pogotowia.

Wykonanie sztucznego oddychania i masażu serca

[1] Połóż dziecko twarzą do góry na twardej płaskiej powierzchni.

[2] Unieś brodę dziecka, by jego głowa lekko odchyliła się do tyłu (Rys. A).

[3] Obejmij ustami nos i usta dziecka.

[4] Wdmuchnij powietrze trzykrotnie, za każdym razem po trzech sekundach od poprzedniego dmuchnięcia (Rys. B).

⚠ *UWAGA: Wdmuchnij tylko powietrze, które masz w ustach. Pamiętaj, że płuca dziecka są bardzo małe. Nie próbuj przekazać całości powietrza, które masz w płucach. Wystarczy niewielka ilość z twoich ust.*

[5] Obserwuj klatkę piersiową dziecka. Powinna unosić się wraz z wdmuchiwanym przez ciebie powietrzem. Jeśli dziecko zaczyna samodzielnie oddychać, przerwij CPR.

[**6**] Sprawdź puls bobasa za pomocą poniższych czynności.

- Unieś rękę dziecka i wyciągnij ją w bok, tak by stworzyła kąt 90° z resztą ciała.

- Umieść dwa palce po wewnętrznej stronie bicepsa, między ramieniem a łokciem. Powinieneś wyczuwać puls (Rys. C).

[**7**] Jeśli wyczuwasz puls, ale dziecko nie oddycha, powtórz krok 4, wykonując 20 szybkich wdmuchnięć. Jeśli nie czujesz pulsu, przejdź do kroku 8.

[**8**] Wyobraź sobie linię, przecinającą sutki dziecka. Umieść dwa palce około 1,3 cm pod tą linią, na mostku bobasa.

[**9**] Uciskaj klatkę piersiową o 1,3-2,5 cm pięciokrotnie w odstępach trzy-sekundowych.

[**10**] Wdmuchnij dodatkową porcję powietrza, tak jak to opisano w kroku 4.

[**11**] Sprawdź oddech dziecka i puls. Jeśli nie udało się ich przywrócić, powtarzaj kroki 9 i 10. Jeśli dziecko oddycha, przejdź do kroku 13.

[**12**] Powtarzaj CPR do przyjazdu pogotowia.

[**13**] Gdy udało się przywrócić puls i oddech bobasowi, jedź do szpitala. Dziecko powinno zostać przebadane, aby upewnić się, że nie wystąpiły inne urazy.

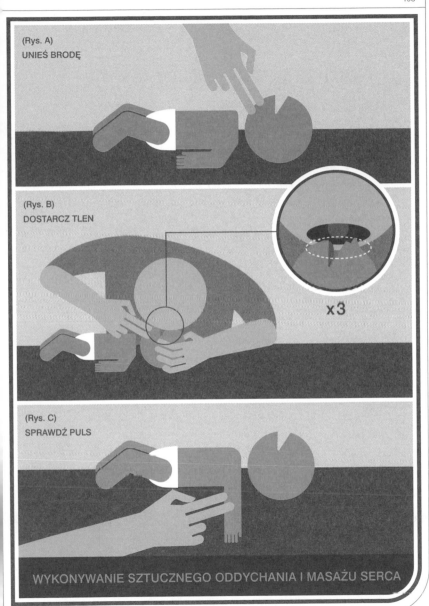

Pomiar temperatury rdzenia bobasa

Temperatura rdzenia bobasa powinna wynosić około 37°C. Wysokość temperatury będzie zmieniać się w ciągu dnia, obniżając się ranem i podnosząc wieczorem.

Najłatwiejszy i najdokładniejszy sposób zmierzenia temperatury rdzenia polega na wsunięciu cyfrowego termometru w odbyt dziecka. Tradycyjne termometry szklane mogą być również stosowane, ale łatwo się tłuką i mogą spowodować uszkodzenie bobasa.

⚠ *UWAGA: Dzieciom brak cierpliwości i umiejętności motorycznych, które pozwolą na zmierzenie temperatury w ustach (Rys. B).*

[1] Przygotuj termometr. Obmyj go ciepłą wodą i osusz. Posmaruj czubek małą ilością wazeliny lub innego lubrykantu.

[2] Przygotuj dziecko. Połóż je na plecach na płaskiej powierzchni. Usuń ubranie i pieluszkę. Alternatywnie, połóż dziecko na brzuchu na swoich kolanach.

[3] Wsuń termometr. Rozsuń pośladki dziecka i włóż nie więcej niż 2,5 cm termometru (Rys. A).

[4] Trzymaj termometr na miejscu przez dwie minuty. Zsunięcie pośladków razem pozwoli ograniczyć dyskomfort. Większość cyfrowych termometrów wydaje dźwięk na znak, że pomiar został zakończony.

[5] Usuń termometr. Zakryj pośladki dziecka ręcznikiem lub pieluszką.

⚠ *UWAGA: Termometry mierzące temperaturę w odbycie mogą pobudzić jelita dziecka. Przed zmierzeniem temperatury umieść pod dzieckiem ręcznik.*

[6] Odczytaj temperaturę. Jeśli wzrosła ponad 38°C, natychmiast skontaktuj się z personelem serwisowym dziecka.

💡 *RADA EKSPERTA: Możesz zmierzyć temperaturę pod pachą bobasa (Rys. B). Pamiętaj, że ta temperatura może być nieco niższa od temperatury zmierzonej w odbycie. Śledź zmiany temperatury, porównując pomiary dokonane w tych samych miejscach.*

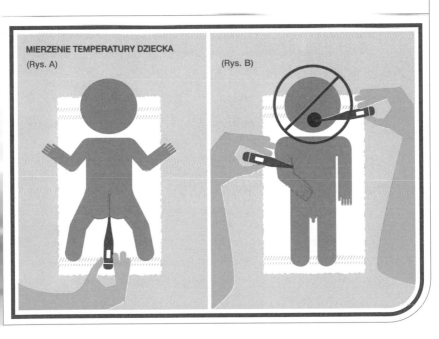

MIERZENIE TEMPERATURY DZIECKA
(Rys. A)
(Rys. B)

Serwis medyczny

Większość modeli przechodzi średnio cztery choroby w ciągu pierwszego roku. Zaleca się, by posiadacz skontaktował się z personelem serwisowym przy pierwszych objawach choroby. Personel serwisowy może zdiagnozować i wyleczyć każdą chorobę lub, jeśli to konieczne, skierować do specjalisty.

Astma

Astma jest chorobą atakującą oskrzela dziecka, która ogranicza oddychanie. Atak astmy stanowi poważne zagrożenie, jeśli nie podejmie się leczenia.

Objawy astmy to kaszel (zwłaszcza nocą), świszczący oddech, szybkie oddychanie z wysiłkiem i skurcze. Personel serwisowy dziecka powinien zdiagnozować astmę i zapisać sposób leczenia. Częstotliwość ataków może zostać zminimalizowana przez ograniczenie podawania dziecku pewnych pokarmów, leków, unikanie zanieczyszczeń, zmian temperatury lub alergenów.

Trądzik niemowlęcy

Trądzik niemowlęcy jest bardziej kłopotliwy estetycznie niż zdrowotnie. Zwykle znika po sześciu tygodniach od pojawienia się. Przybiera formę małych pryszczy na twarzy niemowlęcia.

W celu wyleczenia trądziku codziennie myj twarz dziecka. Użyj łagodnego mydła i letniej wody. Utrzymuj pościel dziecka w czystości. Personel serwisowy dziecka może przepisać łagodną maść sterydową.

Znamiona i wysypki

Znamiona i wysypki są wynikiem podwyższonej pigmentacji skóry dziecka. Nie stanowią zagrożenia dla zdrowia, ale powinny zostać zidentyfiko-

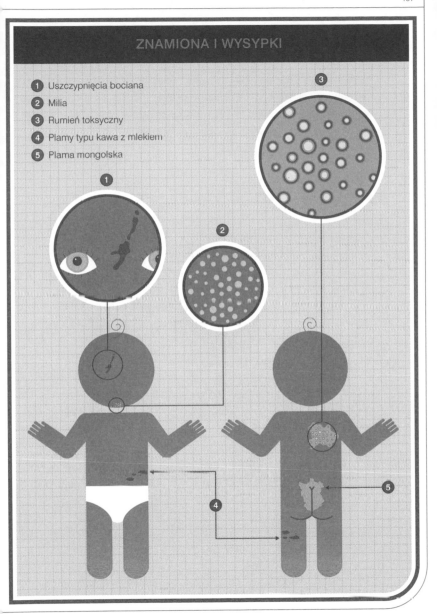

ZNAMIONA I WYSYPKI

1 Uszczypnięcia bociana
2 Milia
3 Rumień toksyczny
4 Plamy typu kawa z mlekiem
5 Plama mongolska

wane w ciągu kilku pierwszych tygodni, aby później nie mylić ich z siniakami lub lokalnymi wysypkami. Niektóre znamiona znikają po kilku tygodniach, inne po kilku latach. Jeśli martwisz się obecnością znamienia, omów to z personelem serwisowym dziecka. Najpopularniejsze typy znamion to:

Plama mongolska: Niebieskozielone znaki często mylone z siniakami, zwykle występują na lub w pobliżu krzyża i pośladków dziecka. Plamy mongolskie występują najczęściej u dzieci Afrykanów, Latynosów, Indian i Azjatów, ale mogą pojawić się u każdego niemowlęcia. Znamiona znikną przed ukończeniem drugiego, trzeciego roku życia dziecka.

Uszczypnięcia bociana: Łososiowe lub różowe plamy często mylone są z wysypką. Występują zwykle na szyi, czole, nosie lub brwiach bobasa. Plamy mogą zaczerwieniać się, gdy dziecko płacze lub ma gorączkę. Zwykle znikają przed szóstym miesiącem życia.

Rumień toksyczny: Białożółte „blizny" są czasem mylone z infekcją. Otacza je czerwona obwódka. W trakcie pierwszych tygodni życia dziecka plamy mogą rozprzestrzenić się na całe ciało, ale zwykle znikają przed trzecim tygodniem życia.

Milia: Białożółte punkty zwykle pojawiają się na brodzie dziecka. Spowodowane są przez wydzielinę gruczołów i zwykle znikają po trzech tygodniach obecności.

Plamy typu kawa z mlekiem: Bladobrązowe łatki mogą pojawiać się na tułowiu lub kończynach dziecka. Jeśli znajdziesz więcej niż sześć plam, skontaktuj się z personelem serwisowym dziecka.

Guzy i siniaki

Guzy i siniaki powinny zniknąć w ciągu tygodnia, maksymalnie do dziesięciu dni. Jeśli nie towarzyszą im inne objawy, można je łatwo wyleczyć w domu.

[1] Przyłóż zimny okład do strefy uderzenia. Trzymaj zimny ręcznik lub torebkę żelową na lub przy zmienionym miejscu. Zimno może zmniejszyć wielkość guza lub siniaka.

[2] Unikaj dotykania okolicy, ponieważ jest to dla dziecka bolesne. Dostosuj sposób trzymania i karmienia, aby zminimalizować kontakt z obolałym miejscem.

[3] Obserwuj zdrowiejące miejsce. Guzy będą się zmniejszać. Siniaki zmienią kolor z fioletowego na żółty, a potem znikną.

Ospa wietrzna

Ospa wietrzna jest infekcją wirusową, która wywołuje wysypkę. Ospa wietrzna jest wysoce zaraźliwa dla wszystkich osób, które przez nią nie przechodziły (lub nie zostały zaszczepione przeciwko niej), dopóki nie odpadną wszystkie strupy.

Wysypka początkowo objawia się pod postacią czerwonych punktów. Szybko rozwija się, przybierając w ciągu 24 godzin formę pęcherzy i strupów. Wszystkie strupy odpadają w ciągu trzech do pięciu dni. Zmiany skórne bardzo swędzą i sprawią dziecku wiele kłopotu. Wielu posiadaczy próbuje przynieść ulgę bobasowi, kąpiąc go w płatkach owsianych – odpowiednie składniki można kupić w aptekach. Jeśli uznasz, że dziecko ma ospę wietrzną, skontaktuj się z personelem serwisowym i odseparuj dziecko od innych bobasów.

Obrzezanie

Obrzezanie jest procedurą, w której napletek bobasa usuwa specjalista serwisowy lub religijny. Zwykle ma to miejsce w szpitalu (dzień lub dwa po porodzie) lub w domu (osiem dni po porodzie lub zgodnie z zaleceniami wiary). W większości przypadków nie ma medycznych przesłanek dla obrzezania dziecka. Jednakże obrzezany penis dziecka łatwiej oczyścić, a niektóre badania sugerują, iż obrzezanie obniża ryzyko infekcji, zarażenia HIV i wystąpienia raka penisa. Po obrzezaniu należy szczególnie dbać o penis bobasa.

[1] Unikaj wody. Nie myj wodą obrzezanego penisa, dopóki się zupełnie nie zagoi. Wycieraj go delikatnie miękką ściereczką.

[2] Stosuj wazelinę. Grubo posmaruj pieluszkę w miejscu, w którym będzie stykać się z penisem. Pomoże to w utrzymaniu czystości w miejscu obrzezania i zapobiegnie przywarciu żołędzi do pieluszki. Smaruj pieluszkę przy każdej reinstalacji.

[3] Obserwuj penis pod kątem oznak krwawienia lub infekcji. Nie dotykaj miejsca obrzezania, dopóki się nie zagoi. Sprawdzaj, czy nie pojawia się krew lub ropa. Jeśli podejrzewasz, że powstała infekcja, skontaktuj się z personelem serwisowym bobasa.

Zatkany kanał łzowy

Zatkanie kanału łzowego może prowadzić do infekcji. Nie jest to zaraźliwa dolegliwość i zwykle ustępuje automatycznie przed upływem dziewiątego miesiąca życia.

Objawem zatkanego kanału łzowego jest mokry lub śluzowaty wysięk z oka (zwykle tylko jednego). Jeśli podejrzewasz, że twój bobas ma zatkany kanał łzowy, wycieraj wysięk miękką ściereczką i ciepłą wodą, a także skontaktuj się z personelem serwisowym dziecka, który może przepisać krople do oczu z antybiotykiem.

Kolka

Terminem kolki określa się kilka objawów, które przyczyniają się do dyskomfortu dziecka. Nie znamy specyficznych przyczyn kolki, ale dolegliwość rzadko zdarza się po upływie drugiego lub trzeciego miesiąca życia dziecka.

Objawami kolki są: częste budzenie się, płacz, którego nie można uciszyć, i silne gazy. Jeśli podejrzewasz, że dziecko ma kolkę, skontaktuj się z personelem serwisowym, który przepisze krople przeciw wzdęciom. Możesz też zastanowić się nad zastosowaniem poniższych technik.

[1] Pocieszaj bobasa. Zmieniaj się z drugim opiekunem co 10 minut. Kołysz, spaceruj z dzieckiem... wszelki ruch może odwrócić uwagę od dolegliwości. Możesz ponosić bobasa w chuście lub odbyć przejażdżkę samochodem.

[2] Delikatnie uciskaj brzuch dziecka. Może to pomóc mu w wydaleniu gazów. Połóż dziecko na ramieniu twarzą do dołu albo usiądź w fotelu lub na sofie i umieść dziecko w ramionach w pozycji „na fasolkę", tak by jego brzuch opierał się o twoje żebra.

[3] Jeśli karmisz piersią, wyeliminuj z pożywienia potrawy, które powodują wzdęcia, takie jak kapusta, fasola, mleko lub napoje z kofeiną.

⚠️ *RADA EKSPERTA: Każdy posiadacz ma własną sztuczkę na radzenie sobie z kolkami. Niektórzy twierdzą, że najlepiej działa masaż i ciepła kąpiel, inni doradzają, by bobasa często karmić. Personel serwisowy dziecka może również dostarczyć paru pomysłów.*

Zapchany nos

Zapchany nos oznacza, że w przewodach nosowych dziecka zgromadziła się wydzielina, przeszkadzając lub uniemożliwiając oddychanie. Jest to zwykle objaw przeziębienia, alergii lub ząbkowania i powinien ustąpić wraz z ustąpieniem dolegliwości.

[1] Jeśli dziecko ma wodnistą wydzielinę, przejdź do kroku 2. W przypadku zaschniętej wydzieliny użyj soli fizjologicznej w kroplach, których dostarczy ci personel serwisowy, aby rozpuścić zator.

■ Zapuść po jednej kropli w każde nozdrze.

■ Dziecko najprawdopodobniej zacznie płakać. Poczekaj, aż przestanie.

[2] Będziesz potrzebować gruszki do nosa (do nabycia w aptekach), aby usunąć wydzielinę z nosa bobasa.

■ Ściśnij gruszkę.

■ Wsuń koniec do nozdrza.

■ Rozluźnij rękę.

■ Wyjmij gruszkę.

■ Wydmuchnij wydzielinę na ręcznik lub chusteczkę.

■ Powtórz to samo w drugim nozdrzu.

[3] Wytrzyj nos dziecka miękką ściereczką lub chusteczką. Posmaruj kremem nozdrza, by zapobiec podrażnieniom.

[4] Przynieś fotelik samochodowy i umieść dziecko w nim, aby zasnęło. Spanie w pozycji półleżącej pomoże oczyścić nos.

Zaparcia

Zaparcie powstaje w sytuacji, gdy zakłócony zostaje regularny odpływ nieczystości z systemu oczyszczania wnętrza dziecka. Dolegliwość ta może trwać przez nieokreślony czas i zwykle nie jest poważna, o ile posiadacz odpowiednio podejdzie do problemu. Objawy zaparcia to nieregularne, duże stolce o twardej konsystencji lub długi okres (pięć dni lub więcej) bez odprowadzania nieczystości. Jeśli podejrzewasz, że dziecko cierpi na zaparcia, skontaktuj się z personelem serwisowym dziecka. Możesz też wypróbować poniższe techniki.

[1] Zmierz temperaturę dziecka (patrz s. 194). Termometr może pobudzić jelita do pracy.

[2] Zaaplikuj dziecku czopek glicerynowy. Czopki kupisz w większości aptek. Wsuń połowę czopka w odbyt dziecka i zainstaluj pieluszkę. Rezultaty powinny pojawić się w ciągu 30 minut.

[3] Dostarczaj obfitej ilości płynów. Upewnij się, że dziecko otrzymuje wystarczającą ilość płynów, która pozwala na wydalanie miękkich stolców. Oznacza to zwykle około 90 ml wody dziennie na każde 900 g wagi dziecka.

[4] Zmień dietę dziecka. Ogranicz lub wyeliminuj pokarmy, które mogą powodować zaparcia, takie jak banany, gruszki, ryż i płatki owsiane.

[5] Zmień mleko modyfikowane. Jeśli dziecko karmione jest butelką, zmień mleko na pokarm sojowy lub o obniżonej zawartości żelaza do czasu, aż zaparcia miną. Niektóre mleka modyfikowane są bogate w żelazo, co sprawia, że stolec jest twardy.

Ciemieniucha

Ciemieniucha pojawia się na skórze głowy dziecka. Przybiera formę żółtych łusek i może rozprzestrzenić się na twarz bobasa. Zwykle znika przed trzecim miesiącem życia.

Jeśli podejrzewasz, że dziecko ma ciemieniuchę, skontaktuj się z personelem serwisowym bobasa. Poniższy tryb postępowania także może pomóc w wyleczeniu ciemieniuchy.

[1] Natłuść skórę głowy dziecka oliwą z oliwek. Zastosuj oliwę przed szamponem. Wybieraj oliwę z oliwek tłoczonych na zimno, która jest wolna od chemikaliów. Przez 20 sekund masuj skórę głowy oliwą.

[2] Umyj głowę dziecka, używając łagodnego szamponu przeciwłupieżowego raz dziennie. Może trzeba będzie robić to dwa razy dziennie, by zmyć całą oliwę. Podczas drugiego mycia użyj łagodnego szamponu dla dzieci.

[3] Zetrzyj odpadające łuski. Użyj do tego celu delikatnej szczotki do włosów dla dzieci.

Krup

Krup jest wirusową infekcją, która atakuje struny głosowe dziecka. Objawy krupu są najcięższe pierwszej nocy i znikają po kilku dniach.

Objawami krupu jest szczekający kaszel, chrypka, świszczący oddech (szczególnie przy wdechu), gorączka, szybki oddech, bladość i letarg. Jeśli uważasz, że bobas ma krup, skontaktuj się z personelem serwisowym dziecka. Zmiany temperatury często przynoszą ulgę w chorobie. Wnieś dziecko na jakiś czas do zaparowanej łazienki lub na krótko wystaw je na działanie nocnego powietrza.

Rany cięte

Rany cięte to przerwy w ciągłości skóry wywołane działaniem ostrych przedmiotów. Rany cięte ulegają wyleczeniu od tygodnia do 10 dni. Dłuższy czas leczenia może być oznaką wtórnej infekcji.
Objawy zainfekowanych ran to krwawienie, zaczerwienienie, opuchlizna, wyciek ropy w pobliżu rany. Jeśli podejrzewasz, że dziecko może mieć zainfekowaną ranę albo gdy rana nie przestaje krwawić, skontaktuj się z personelem serwisowym dziecka.

[1] Obmyj miejsce wokół rany ciepłą wodą z mydłem. Jeśli rana już nie krwawi, pozwól, by wyschła na świeżym powietrzu, i przejdź do kroku 3.

[2] Jeśli nacięcie krwawi, przyciśnij je czystą, miękką podkładką z gazy. Ściskaj razem brzegi rany i przyciskaj delikatnie skórę. Sprawdź po kilku minutach, czy krwawienie ustało.

[3] Nałóż na ranę kroplę maści z antybiotykiem.

[4] Owiń ranę bandażem. Sprawdzaj bandaż w ciągu dnia, czy się nie zsunął. Luźny bandaż może grozić uduszeniem.

[5] Codziennie zmieniaj bandaż. Usuwaj bandaż, wkładając go pod bieżącą wodę lub podczas kąpieli, by rozmiękczyć przywierający materiał i sprawić, że usuwanie jest mniej bolesne. Powtarzaj wszystkie kroki, dopóki nie wyleczą się rany.

Odwodnienie

Odwodnienie spowodowane jest nierównowagą w poborze płynów bobasa a systemem ich odprowadzania, to znaczy dziecko wydala więcej płynów, niż pobiera. Odwodnienie będzie trwało, dopóki nie zbilansuje się poziomu płynów dziecka. Objawy: zmniejszony odpływ uryny (mniej niż trzy-cztery mokre pieluszki dziennie), płacz bez łez lub z kilkoma kroplami, utrata wagi i popękane usta. Jeśli podejrzewasz, że dziecko jest odwodnione, zwiększ dopływ prostych płynów (wody lub lekkiego mleka modyfikowanego). Jeśli dziecko jest karmione piersią, zwiększ częstotliwość lub długość karmienia. Jeśli dziecko jest karmione butelką, napój go pediatrycznym napojem uzupełniającym elektrolity (do nabycia w sklepach). Jeśli objawy nie ustępują, skontaktuj się z personelem serwisowym dziecka.

Biegunka

Biegunka to dolegliwość, w której zmienia się konsystencja i częstotliwość odprowadzania zanieczyszczeń z systemu dziecka. Dolegliwość ta, wywoływana przez bakterie lub wirusy, zwykle trwa pięć do siedmiu dni.

Objawami biegunki jest zwiększone odprowadzanie zanieczyszczeń, które mają wodnistą konsystencję. Zanieczyszczenia mogą też mieć silniejszy zapach niż zwykle. Jeśli podejrzewasz, że dziecko cierpi na biegunkę, lub gdy zauważysz w odprowadzonych nieczystościach krew lub śluz, skontaktuj się z personelem serwisowym dziecka.

[1] Użyj myjki i ciepłej wody przy zmianie pieluszek, by uniknąć podrażnienia okolic odbytu przy częstych reinstalacjach pieluszki.

[2] Podawaj lekkie posiłki i zwiększ dopływ płynów. Jeśli bobas jest karmiony butelką, zmniejsz o połowę ilość mleka modyfikowanego dodawanego do wody. Podaj dziecku butelkę z napojem uzupełniającym elektrolity. Matki karmiące

piersią powinny zwiększyć ilość lub czas karmienia, aby utrzymać równowagę płynów w ciele dziecka.

[3] Obserwuj oznaki odwodnienia

[4] Dodaj odrobinę jogurtu do pożywienia dziecka. Aktywne kultury bakterii w jogurcie mogą pomóc w przywróceniu normalnego stolca.

Alergie na lekarstwa

Alergia na lekarstwo jest to reakcja alergiczna na określony medykament. Objawy: pokrzywka, wyciek z nosa, trudności w oddychaniu i zmiana koloru skóry. Jeśli uważasz, że dziecko ma alergię na lek, natychmiast skontaktuj się z personelem serwisowym dziecka, który może zmienić lek lub spróbuje wyleczyć alergię difenhydraminą.

Infekcje uszu

Infekcje uszu powstają na skutek infekcji wirusowej lub bakteryjnej ucha środkowego. Infekcje ucha środkowego mogą trwać od trzech do pięciu tygodni lub powtarzać się przez kilka tygodni. Jeśli infekcja ucha trwa dłużej niż pięć dni, skontaktuj się z personelem serwisowym dziecka.

Objawy: płacz, którego nie daje się uciszyć, chwytanie za ucho, niepokój przy zmianie pozycji i gorączka. Jeśli podejrzewasz, że dziecko cierpi na infekcję ucha, skontaktuj się z personelem serwisowym dziecka. Infekcje uszu zwykle leczone są antybiotykami. Jest to najszybszy sposób, a ponadto zapobiega rozprzestrzenianiu się infekcji, co może spowodować poważniejsze problemy, takie jak zapalenie opon mózgowych (patrz s. 216). Różnorodne antybiotyki są kompatybilne z różnymi modelami i nie sposób przewidzieć, na który z nich twój model zareaguje. Zanim odnajdzie się pasujący lek, możliwe jest przepisanie kilku różnych rodzajów antybiotyków.

Aby utrzymać równowagę w stanie pożytecznych bakterii jelitowych, karm dziecko jogurtem, jeśli przyjmuje antybiotyki. Kuracja w przypadku infekcji ucha trwa czasem miesiąc.

RADA EKSPERTA: Kropla oliwy z oliwek może przynieść krótkotrwałą ulgę bobasowi. Użyj zakraplacza, by umieścić po kropli w uszach bobasa. Pozwól, by oliwa spłynęła w kanale usznym. Może to przynieść ulgę dziecku, dopóki personel serwisowy nie zapewni skuteczniejszego rozwiązania.

Gorączka

Większość przedstawicieli personelu serwisowego uważa, że niezbyt wysoka gorączka służy dziecku, ponieważ spowalnia namnażanie się wirusów, co chroni bobasa przed poważniejszą chorobą. Dlatego też większość personelu serwisowego nie zaleca leczenia gorączki poniżej 38,5°C.

⚠ *UWAGA: Jeśli twój model ma mniej niż trzy miesiące lub gorączka przekracza 38°C, skontaktuj się z personelem serwisowym dziecka.*

[1] Dotknij czoła bobasa – jeśli jest ciepłe w dotyku, zmierz temperaturę. Zobacz rady odnośnie do mierzenia temperatury na stronie 194.

[2] Jeśli temperatura dziecka sięga 38,5-39,5°C, skontaktuj się z personelem serwisowym dziecka. Zaleca się, by posiadacz podawał małe dawki ibuprofenu co cztery godziny, aż gorączka spadnie. Omów to ze swoim personelem serwisowym.

[3] Jeśli temperatura dziecka wynosi lub przekracza 40°C, bobas ma wysoką gorączkę. Należy natychmiast skontaktować się z personelem serwisowym dziecka. Obmywaj dziecko ciepłą wodą, która szybko paruje i ochładza dziecko skuteczniej niż zimna woda. Podawaj niewielkie dawki ibuprofenu co

cztery godziny. Jeśli gorączka dziecka pozostaje na tym samym poziomie, należy podejrzewać obecność wtórnego zakażenia.

Gazy

Gazy powstają na skutek formowania się w jelitach pęcherzyków powietrza. Stan ten często powstaje w połączeniu z karmieniem i może minąć w sposób naturalny. Objawami gazów są bekanie, wzdęcia, płacz i unoszenie kolan do brzucha.

Aby zminimalizować gazy, odbijaj dziecko po każdym karmieniu. Jeśli karmisz piersią, usuń ze swojej diety pokarmy powodujące wzdęcia, takie jak fasola, kapusta. Umieszczaj dziecko w pozycji sprzyjającej usuwaniu gazów (patrz s. 201). Personel serwisowy bobasa może przepisać krople przeciw wzdęciom.

Czkawka

Czkawka jest bardzo częsta u noworodków. Wynika z czasowego zakłócenia pracy przepony. Aby zakończyć czkawkę u dziecka, wypróbuj poniższe techniki.

⚠ UWAGA: *Jeśli dziecko ma czkawkę, nie próbuj mu pomóc, stosując „dorosłe" metody. Nie wstrzymuj jego oddechu. Nie strasz dziecka hałasem.*

■ Dmuchnij w twarz bobasa. Może to spowodować, żo ozybko zaczerpnie powietrza i zmieni ruch przepony.
■ Nakarm dziecko. Regularne przełykanie i oddychanie może zresetować przeponę.
■ Wyjdź z dzieckiem z domu. Nagły podmuch chłodnego powietrza może zmienić rytm oddechu.

Ukąszenia i użądlenia

Ukąszenia i użądlenia są groźne jedynie, gdy dziecko ma na nie silną reakcję alergiczną. Silne reakcje alergiczne obejmują: bóle brzucha, wymioty, trudności w oddychaniu lub pokrzywkę (w miejscu innym niż ugryzienie). Jeśli pojawia się taka reakcja, natychmiast skontaktuj się z personelem serwisowym dziecka. Łagodna reakcja, taka jak swędzenie w miejscu ukąszenia lub użądlenia, może być leczona przyłożeniem kompresu. Trzymaj kompres na miejscu przez przynajmniej 15 minut lub tak długo, jak ci na to pozwoli dziecko.

⚠️ *UWAGA: Przed przyłożeniem dziecku kompresu sprawdź temperaturę na swojej skórze. Nigdy nie przykładaj lodu bezpośrednio do skóry, owiń go najpierw w suchy ręcznik.*

Skurcze

Skurcze są to niezależne od woli impulsy nerwowe, powodujące łagodne drżenie mięśni (zwykle nóg i rąk), które są mylone z dreszczami. Jest to dość częsty objaw wśród noworodków. Skurcze ustępują między trzecim a szóstym miesiącem życia. Jeśli dziecko cierpi na wyjątkowo poważne skurcze, skontaktuj się z personelem serwisowym dziecka.

Zapalenie spojówek

Zapalenie oka może zostać wywołane przez infekcję lub alergię i pojawić się w jednym lub obydwu oczach dziecka. Jeśli zapalenie oka spowodowane jest infekcją, oznacza to, że jest zaraźliwe, a posiadacze bobasa powinni często myć ręce. Odpowiednio leczone zapalenie powinno ustąpić w ciągu kilku dni.

Objawami zapalenia spojówek są zaczerwienione gałki oczne (gałka oczna), czerwone wnętrze powieki i zielony lub żółty wysięk z zakażonego miejsca. Dziecko może próbować przecierać oczy, ale nie można mu na to pozwolić. Owinięcie w becik zapobiegnie dosięgnięciu przez bobasa do oczu (patrz s. 50). Jeśli podejrzewasz, że dziecko cierpi na zapalenie oka, odizoluj je od innych dzieci i skontaktuj się z personelem serwisowym dziecka.

Zgaga

Zgaga powstaje na skutek cofania się kwasu żołądkowego w górę przełyku przez niedomknięty zwieracz między przełykiem a żołądkiem. Dolegliwość ta pojawia się zwykle w ciągu pierwszych tygodni życia dziecka i może trwać przez kilka miesięcy.

Objawami jest cofanie się płynów tuż po ich połknięciu, drażliwość, częsty płacz, nieustający ból brzucha, ból pleców i częste, lecz krótkie karmienia. Jeśli podejrzewasz, że dziecko cierpi na zgagę, skontaktuj się z personelem serwisowym dziecka, który może zapisać zagęszczenie pokarmów dziecka kaszką ryżową, ustawianie dziecka w pozycji pionowej po karmieniu lub unoszenie górnej połowy w czasie snu albo różnorodne leki na zgagę.

Ząbkowanie

Dziecko zjawia się z zainstalowanymi wcześniej zębami, które automatycznie wyłaniają się z dziąseł w drugiej połowie pierwszego roku życia bobasa. Proces ten zwany jest ząbkowaniem i powoduje ból.

Objawami ząbkowania jest nadmierne ślinienie się, gryzienie twardych przedmiotów, budzenie w nocy, pobudzenie, czasami przekrwienie, wyciek z nosa, biegunka lub stan podgorączkowy. Posiadacz bobasa niewiele może zrobić, by ulżyć dziecku podczas ząbkowania. Użytkownik może zmniejszać dyskomfort dziecka, kładąc je spać więcej razy w ciągu dnia lub podając niemowlęciu zimne, nadające się do gryzienia przedmioty, na przykład zamrożony seler lub ściereczki. Personel serwisowy dziecka może zalecić także niewielkie dawki ibuprofenu lub środka uspokajającego.

Kikut pępowiny

Po dostawie dziecka zauważysz 2,5 lub 5 cm kikuta pępowiny, sterczącego z pępka. Jeśli kikut zawsze jest suchy i czysty, powinien wyschnąć i odpaść w ciągu około dwóch tygodni. Czasami kikut ulega infekcji, a wówczas konieczna jest interwencja medyczna. Kikut pępowiny stanowi bezpośrednie połączenie z układem krwionośnym bobasa, przez co infekcja może się błyskawicznie rozprzestrzenić.

Objawami zakażenia kikuta pępowiny są: zaczerwienienie lub opuchlizna wokół pępka, ropna wydzielina i gorączka. Jeśli podejrzewasz, że dziecko cierpi na zakażenie kikuta pępowiny, skontaktuj się z personelem serwisowym, który może zalecić hospitalizację dziecka lub przepisać antybiotyki.

Reakcje na szczepionki

Dziecko może zareagować, także alergicznie, na przepisywane przez personel serwisowy szczepionki. Choć takie reakcje są rzadkie, najczęściej zdarzają się po szczepieniach DtaP (dyfteryt, koklusz, tężec). Reakcja pojawia się natychmiast lub wkrótce po otrzymaniu zastrzyku i łatwo ją wyleczyć.

Objawami reakcji na DtaP (i inne szczepienia) są: gorączka, drażliwość, opuchlizna lub zaczerwienienie w miejscu ukłucia oraz szok anafilaktyczny (ciężka reakcja, z pokrzywką lub utrudnionym oddychaniem włącznie). Jeśli sądzisz, że dziecko cierpi na reakcję na szczepionkę – zwłaszcza jeśli pojawiają się trudności w oddychaniu, natychmiast dzwoń po pogotowie. Posiadacze mogą skontaktować się z personelem serwisowym dziecka, jeśli wystąpią mniej poważne objawy.

W poniższy sposób możesz przynieść ulgę dziecku, które cierpi na niezbyt poważne objawy reakcji na szczepionki.

[1] Skonsultuj się z personelem serwisowym, który może zalecić ibuprofen, by zmniejszyć gorączkę i złe samopoczucie.

[2] Przyłóż zimny lub gorący kompres w miejsce szczepienia. Niektórym modelom ulgę przynosi gorący kompres, innym – zimny. Spróbuj jednego i drugiego, by określić, który kompres jest kompatybilny z twoim modelem. Zmierz temperaturę kompresu przed jego zastosowaniem, aby uniknąć uszkodzenia skóry dziecka.

⚠ RADA EKSPERTA: *Personel serwisowy bobasa ustali regularne wizyty, w trakcie których odbywać się będą szczepienia. Zwykle odbywają się one w wieku 2, 4, 6 i 12 miesięcy. Pół godziny przed wizytą podaj dziecku odpowiednią dawkę ibuprofenu oraz kolejną w ciągu 24 godzin, aby zminimalizować dyskomfort.*

Wymioty

Wymiotowaniem nazywamy proces, w trakcie którego bobas wyrzuca zawartość żołądka przez usta. Przyczyną wymiotów może być nietolerancja na jedzenie, nieprawidłowa praca jelit, zgaga, uderzenie w głowę i zapalenie opon mózgowych (patrz s. 216) oraz inne dolegliwości. Czas wymiotowania różni się w zależności od powodującej je przyczyny. Jeśli bobas wymiotuje, skontaktuj się z personelem serwisowym dziecka i postępuj zgodnie z wytycznymi odnośnie do postępowania z odwodnionym dzieckiem (s. 206).

Ochrona dziecka przed syndromem nagłej śmierci noworodków (SIDS)

Syndrom nagłej śmierci noworodków (SIDS – Sudden Infant Death Syndrom) to nagła śmierć zdrowego dziecka. Niekiedy zwany jest nagłą śmiercią łóżeczkową. Choć przyczyny SIDS nie są znane, ośrodki badawcze takie jak Amerykański Instytut SIDS i Fundacja na rzecz Studiów nad Śmiercią Noworodków opracowały zalecenia zmniejszające ryzyko wystąpienia SIDS. Aby zapoznać się z najnowszymi zaleceniami, skontaktuj się z personelem serwisowym dziecka. Personel serwisowy zaleca poniższe działania w celu zmniejszenia ryzyka wystąpienia SIDS.

- Kładź dziecko do snu na plecach.
- Niemowlę powinno spać na twardym materacyku.
- Usuń z miejsca snu pluszowe zwierzątka, poduszki i ciężkie kołdry. Okryj dziecko lekką kołderką do wysokości brzucha. Połóż jego ręce na kołderce.
- Nie ubieraj dziecka zbyt grubo. W pokoju bobasa powinna panować odpowiednia temperatura (20-22°C).
- Karm niemowlę piersią.
- Nie wystawiaj dziecka na działanie dymu papierosowego.
- Proś odwiedzających o mycie rąk, zanim wezmą dziecko na ręce.
- Trzymaj bobasa z dala od gości z infekcjami dróg oddechowych.
- Podczas godzin aktywności kładź dziecko na brzuchu.

⚠ *UWAGA: Dziecko jest wystawione na największe ryzyko wystąpienia SIDS w pierwszym i czwartym miesiącu życia. Bobas znajduje się też w grupie podwyższonego ryzyka, jeśli jest wcześniakiem lub w życiu płodowym był wystawiony na działanie nieprzepisanych leków albo też miał rodzeństwo, które zmarło na SIDS.*

Rozpoznawanie poważnej choroby

Wszyscy posiadacze bobasów powinni umieć rozpoznać objawy zapalenia opon mózgowych, zapalenia płuc, padaczki i zakażenia wirusem RSV. Jeśli twój model zaczyna mieć poniższe objawy, postępuj zgodnie z podanymi wskazówkami i natychmiast skontaktuj się z personelem serwisowym.

⚠ *RADA EKSPERTA: Zaufaj swoim instynktom. Jeśli czujesz, że z dzieckiem jest coś nie w porządku, nie wahaj się przed zadzwonieniem do personelu serwisowego.*

Zapalenie opon mózgowych

Zapalenie opon mózgowych może wynikać z wirusowej lub bakteryjnej infekcji opon mózgowych – błon pokrywających mózg i rdzeń kręgowy. W dłuższej perspektywie choroba ta może mieć wpływ na zdrowie i spowolnić rozwój neurologiczny. Na szczęście wiele odmian zapalenia jest uleczalnych, a niektóre z nich udaje się zupełnie wyleczyć.

Objawy: gorączka, podrażnienie, letarg, wymioty, ataki padaczki lub wybrzuszające się ciemiączka (wynik wzrastającego ciśnienia w mózgu). Jeśli podejrzewasz, że dziecko ma zapalenie opon mózgowych, skontaktuj się z personelem serwisowym lub natychmiast udaj się o szpitala.

Zapalenie płuc

Zapalenie płuc powstaje na skutek wirusowego lub bakteryjnego zakażenia płuc. Zapalenie płuc dotyka pęcherzyki płucne – małe „torebeczki" w płucach. Nawet zwykłe przeziębienie może przerodzić się w zapalenie płuc. Większość rodzajów zapalenia płuc jest całkowicie wyleczalna.

Objawami zapalenia płuc są: kaszel, gorączka, szybkie oddychanie (więcej niż 30-40 oddechów na minutę) oraz zapadanie się skóry między żebra. Jeśli podejrzewasz, że dziecko ma zapalenie płuc, skontaktuj się z personelem serwisowym lub natychmiast udaj się do szpitala.

Padaczka

Padaczka pojawia się, gdy anormalna aktywność elektryczna w mózgu wywołuje nerwowo-mięśniową aktywność ciała. Padaczka może mieć wiele przyczyn, włącznie z zapaleniem opon mózgowych, nierównowagą metaboliczną, urazami głowy, wadami wrodzonymi lub gorączką. Większość padaczek ma jednakże charakter idiopatyczny – co oznacza, że nie mają żadnych szczególnych powodów ich powstania.

Jeśli dziecko ma atak, jego ręce i nogi będą drżeć niekontrolowanie przez dłuższy czas – od 30 sekund do 10 minut. Podczas ataku lub po nim bobas może wymiotować, utracić kontrolę nad jelitami i pęcherzem i stać się senny.

W trakcie ataku ułóż dziecko na boku, co zapobiegnie zachłyśnięciu się wymiocinami. Nie wkładaj nic w usta dziecka – utrzymuj otwarty dopływ powietrza. Gdy atak minie, skontaktuj się z personelem serwisowym dziecka.

⚠ UWAGA: Jeśli atak trwa dłużej niż dwie minuty lub ogranicza oddychanie dziecka, natychmiast dzwoń po pogotowie.

Wirus syncytium nabłonka oddechowego (RSV)

Wirus syncytium nabłonka oddechowego (RSV) powoduje infekcję płuc, która atakuje drogi oddechowe, a nie pęcherzyki płucne. Większość modeli chorujących na RSV ma mniej niż jeden rok. Infekcja ta może być zakaźna zarówno dla niemowląt, jak i dla dorosłych, choć wirus jest groźniejszy dla bobasów.

Objawami RSV są: kaszel, szybkie oddychanie (więcej niż 30-40 oddechów na minutę), gorączka i świszczący oddech. Jeśli podejrzewasz, że dziecko może cierpieć na RSV, natychmiast skontaktuj się z personelem serwisowym bobasa.

[Dodatek]

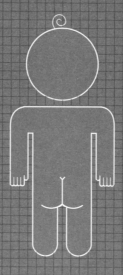

WYKRES SNU DZIECKA

	NDZ.	PN.	WT.	ŚR.	CZW.	PT.	SOB.
23:30							
23:00							
22:30							
22:00							
21:30							
21:00							
20:30							
20:00							
19:30							
19:00							
18:30							
18:00							
17:30							
17:00							
16:30							
16:00							
15:30							
15:00							
14:30							
14:00							
13:30							
13:00							
12:30							
12:00							
11:30							
11:00							
10:30							
10:00							
09:30							
09:00							
08:30							
08:00							
07:30							
07:00							
06:30							
06:00							
05:30							
05:00							
04:30							
04:00							
03:30							
03:00							
02:30							
02:00							
01:30							
01:00							
12:30							
12:00							

Funkcja moczowa dziecka

Imię modelu

DZIEŃ	DATA	ILOŚĆ AKTYWIZACJI FUNKCJI MOCZOWEJ
NDZ.		
PN.		
WT.		
ŚR.		
CZW.		
PT.		
SOB.		

Funkcja wydalnicza dziecka

Imię modelu

DATA	CZAS	KOLOR	KONSYSTENCJA	WYDALENIE	
				○ łatwe	○ trudne
				○ łatwe	○ trudne
				○ łatwe	○ trudne
				○ łatwe	○ trudne
				○ łatwe	○ trudne
				○ łatwe	○ trudne
				○ łatwe	○ trudne
				○ łatwe	○ trudne
				○ łatwe	○ trudne
				○ łatwe	○ trudne
				○ łatwe	○ trudne
				○ łatwe	○ trudne
				○ łatwe	○ trudne
				○ łatwe	○ trudne

Indeks

CERTYFIKAT POSIADACZA

Gratulujemy! Po przestudiowaniu wszystkich instrukcji zawartych w niniejszym podręczniku jesteś w pełni gotów do obsługi bobasa. Jeśli będziesz go należycie pielęgnować i poświęcać mu dostatecznie dużo uwagi, twój model zapewni ci dożywotnią radość i poczucie szczęścia! Życzymy wszystkiego najlepszego!

Imię posiadacza

Imię modelu

Data dostawy

Płeć modelu

Waga modelu

Kolor oczu modelu

Długość modelu

Kolor włosów modelu

O autorach:

DOKTOR LOUIS BORGENICHT, pediatra certyfikowany przez Amerykańską Akademię Pediatryczną, od 16 lat prowadzi swoją praktykę w Salt Lake City. Jest także doktorem habilitowanym pediatrii w The University of Utah School of Medicine oraz udziela się w zarządzie stowarzyszenia „Lekarze odpowiedzialni społecznie". W roku 2002 „Ladies Home Journal" nadał mu tytuł Najlepszego Pediatry stanu Utah. Doktor Borgenicht mieszka z żoną Jody, która w końcu nauczyła się, jak spać w nocy, podczas gdy małżonek wyjeżdża do wezwań.

JOE BORGENICHT jest świeżo upieczonym tatusiem, który często dzwoni do swojego ojca po radę. Jest także pisarzem, producentem telewizyjnym i współautorem *Podręcznika bohatera akcji*. Mieszka w Salt Lake City z żoną Melanie i synem Jonahem (który wciąż działa na najwyższych obrotach).

O ilustratorach:

PAUL KEPPLE i **JUDE BUFFUM** znani są bliżej pod nazwą filadelfijskiego studia **HEADCASE DESIGN**. Ich prace można zobaczyć w wielu publikacjach projektowych, takich jak „American Illustration", „Communication Arts" i „Print". Paul pracował przez kilka lat dla wydawnictwa Running Press Book Publishers, zanim otworzył Headcase w roku 1998. Obaj ukończyli Tule School of Art, gdzie również obecnie wykładają. Gdy Jude był niemowlęciem, jego rodzice często programowali go na przedłużone okresy snu. Posiadacze Paula z kolei wielokrotnie próbowali zwrócić swój model, uważając, iż niemożność wyhodowania włosów na jego głowie spowodowana jest wadą producenta.